D0268040

NACHTGEDACHTEN

Greetje van den Berg

Nachtgedachten

VCL serie

ISBN 978 90 5977 486 5
NUR 344

Omslagillustratie en -ontwerp: Bas Mazur
www.vclserie.nl
ISSN 0923-134X

1

Er staat een schrale oostenwind die zijn ogen laat tranen terwijl Yannick Bergsma verdwaasd vanaf de universiteit naar het station van Groningen fietst. Af en toe veegt hij ongeduldig over zijn wangen met de rug van zijn hand. Met diezelfde hand houdt hij nog steeds zijn mobiele telefoon omklemd. Hij fietst als een razende alsof hij de woorden van zijn vriendin Lia wil ontvluchten, die ze even daarvoor door die telefoon heeft gesproken. Hij raakt ze niet kwijt.

Eerst begreep hij het niet. Hij begreep niet waarom ze hem belde terwijl hij met een docent had afgesproken. De afspraak was al moeizaam genoeg tot stand gekomen. Hij overwoog om haar oproep te negeren. De docent keek misnoegd toen hij na een verontschuldiging toch op het groene knopje drukte. Hij vergat zijn verlegenheid met de situatie toen Lia's dringende woorden in zijn oor klonken: 'Yannick, je moet zo snel mogelijk naar huis komen.' Dat zei ze.

'Naar huis?' Hij had haar niet begrepen. 'Waarom naar huis?' vroeg hij, en langzaam raakte hij doordrongen van het besef dat er iets ergs moest zijn gebeurd. Een auto toetert als hij zomaar een kruispunt oversteekt. Hij merkt het niet. Automatisch legt hij de weg verder af die hij de afgelopen jaren ontelbare malen heeft gefietst.

'Ik wil het je nu niet zeggen.' De stem van Lia klonk vreemd. 'Kom nu maar zo snel mogelijk naar huis. Ik haal je van het station. Hoe laat denk je ongeveer in Zwartburg te zijn als je nu zo snel mogelijk vertrekt?'

Juist die woorden hadden hem de waarheid verteld. 'Ze is dood, hè?'

'Yannick, toe...'

'Mijn moeder is dood,' had hij gezegd. 'Vertel het me nou maar gewoon. Ik wist toch dat het eraan zat te komen.'

'Vanmorgen heeft de verpleegkundige haar in bed gevonden,' beaamde Lia en ze had daarna gezegd dat hij haar moest bellen als hij in de trein zat, zodat ze op tijd bij het station zou staan. De docent had nu alle begrip. Yannick kreeg een hand en condoleances. Het ging allemaal langs hem heen. 'Het is voorbij.' Die woorden zetten zich vast in zijn hersens, blijven resoneren op de bewegingen van zijn voeten. 'Het is voorbij!' Hij wil eigenlijk niet dat Lia hem van het station haalt. Hij wil niet in de trein zitten. Hij wil eindeloos blijven fietsen en steeds die woorden horen: 'Het is voorbij.'

Nooit meer die verwarring, die afkeer, schaamte en woede over de dingen die ze doet of juist niet doet. Nooit meer teleurstelling. Nooit meer...

Het is voorbij, er is niets meer aan te doen. Als hij zijn fiets in een rek wringt, dringt het tot hem door dat hij niet langer opluchting voelt. Opnieuw wrijft hij de tranen van zijn wangen, steekt dan de mobiel in zijn broekzak en legt zijn fiets aan de ketting. 'Voorbij', maar hij weet niet meer wat hij voelt. Misschien is het vooral leegte.

Die leegte blijft hem de volgende dagen vergezellen en is er ook als hij vijf dagen later naast het graf staat, terwijl zijn adem wolkjes vormt. Zijn blonde haar piept onder het zwarte mutsje vandaan dat hij vanmorgen op aanraden van Lia heeft opgezet. In de zakken van zijn zwarte jopper balt hij zijn handen tot vuisten. Lia probeert zijn blik te vangen, maar hij kijkt naar de kist die langzaam in het graf afdaalt. Rondom liggen bloemstukken en rouwkransen in verschillende kleuren. 'Bodil hield van vrolijke kleuren,' had er onder aan de advertentie gestaan. Daarom draagt hij onder al dat zwart een kobaltblauw overhemd. 'Je moeder vond je dat zo mooi staan,' wist Lia te melden toen hij zich vanmorgen wilde omkleden. Hij had haar niet tegengesproken.

De arm van Lia ligt door de zijne, af en toe voelt hij een lichte druk, maar hij reageert niet. Hij blijft kijken naar die bewegende kist, naar de bloemen op de donkere aarde, naar de stevige schoenen van tante Aitsje die zich een plek naast zijn vader heeft veroverd. Ze is zijn enige zus en werpt zich in deze moeilijke dagen op als zijn steun en toeverlaat. Zijn moeder had een gruwelijke hekel aan haar enige schoonzus.

Er heerst stilte, alleen het zachte kreunen van het mechaniek dat de kist laat dalen is hoorbaar. Yannick klemt zijn lippen op elkaar. Nog even volhouden, dan is het echt voorbij. Hij kijkt niet langer naar de kist, maar heft zijn gezicht naar de grijze hemel die ineens een streep zonlicht doorlaat. De streep kruipt over de mensen, de bloemen, in de richting van het diepe gat. Als de kist met een doffe bons de bodem heeft bereikt, is er een kort moment waarop het licht tot in het graf reikt. Dan sluit de hemel zich weer tot een egaal grijs. Hij kijkt naar Lia, maar ze heeft haar blik nu naar beneden gericht, terwijl haar mond het Onzevader bidt, in navolging van de predikant die de dienst heeft geleid. Zijn blik rust even op zijn zus Felia, die dicht tegen haar verloofde Simon staat. Vol overgave bidt ook zij de bekende woorden mee, net zoals zijn vader, net zoals tante Aitsje.

Rondom hem murmelen monden, warme adem dampt in de kille novembermiddag naar boven. Dan houdt hij het ineens niet meer uit. Als het 'Amen' als uit één mond rond het graf klinkt, is Yannick verdwenen tussen de graven door, op weg naar de uitgang van de begraafplaats.

Was er wel ooit een tijd geweest dat zijn moeder niet dronk? Yannick leunt tegen een oude eik die bijna tegen de kleine aula van de begraafplaats steunt. Vanaf de begraafplaats hoort hij nog vaag de stem van de predikant, maar hij kan diens woorden niet verstaan.

Ja, die tijd was er wel geweest, maar die was behoorlijk naar de achtergrond geraakt. In zijn beleving had hij zich altijd voor haar geschaamd. In zijn jeugd nam hij geen vriendjes mee naar huis, bang als hij was voor hoe hij haar zou aantreffen. Ze kon laveloos op de bank hangen, maar erger was nog haar opgeklopte vrolijkheid als ze haar uiterste best deed om niet te laten merken dat ze gedronken had. De manier waarop ze over haar woorden struikelde, hoe ze de thee in kopjes schonk en de helft ernaast goot. Op deze plek herinnert hij zich die intense schaamte als ze veel te hard lachte. Hij weet nog hoe zijn vriendjes met grote ogen keken. Daarom nam hij al heel snel niemand meer mee naar huis.

Dat was wat hij zijn moeder kwalijk nam. Haar gedrag bracht hem eenzaamheid.

Volgens Lia moest hij ook rekening houden met de achtergronden van zijn moeder. Ze had een moeilijke jeugd gehad. Haar vader dronk, was zelfs agressief geweest naar haar moeder toe. Lia probeerde altijd het goede in een mens te zien. Zij had het steeds voor zijn moeder opgenomen, maar Lia had zich nooit zo hoeven te schamen.

Er zijn voetstappen hoorbaar over het grindpad dat naar het grote toegangshek van de begraafplaats loopt. Hij draait zich een kwartslag om zodat hij achter de stam van de boom niet direct zichtbaar is.

Zijn vader probeerde het gedrag van zijn moeder ook goed te praten, om het over zijn zus Felia maar niet te hebben. Hij begreep Felia niet. Misschien had zij nog wel meer onder het gedrag van haar moeder geleden dan hij, maar ze wees hem altijd terecht als hij iets negatiefs over haar zei.

Voetstappen gaan voorbij, auto's starten, stemvolume zwelt aan. Soms wordt er al gelachen. Hij ontmoet blikken die hem nieuwsgierig, maar ook afkeurend opnemen.

Niemand lijkt te begrijpen wat de alcoholverslaving van zijn moeder bij hem heeft aangericht. Hij moet vergeven en vergeten. Alsof het zo eenvoudig is.

Het is voorbij, maar niet vergeten. Nooit meer zal hij zich voor haar hoeven te schamen. Hij zal haar schuldbewuste gezicht niet meer zien, de woorden waarover ze haar tong breekt niet meer horen. Maar hij zal het niet kunnen vergeten, zijn pijn en eenzaamheid zullen met regelmaat de kop opsteken.

'Yannick, wat was dat nou voor achterlijke actie?' Lia's stem klinkt hoog van verontwaardiging. 'Dat doe je toch niet? Weglopen tijdens het gebed? Kun je dan zo'n heel klein beetje respect zelfs niet opbrengen?'

Haar kleine hand ligt verbazingwekkend vast om zijn bovenarm. Een eindje verderop loopt zijn vader voorbij zonder hem een blik waardig te keuren. Felia en Simon doen ook alsof hij lucht is en tante Aitsje kijkt bepaald verontwaardigd zijn richting uit.

'Respect? Ik zou respect moeten hebben?' zegt hij ingehouden. 'Zij heeft geen greintje respect verdiend.' Zijn vinger wijst in de richting van de begraafplaats. 'Wat die anderen doen, interesseert me niet, maar ik heb helemaal geen zin om nog eens te gaan koffiedrinken met mensen die er geen moer van begrijpen hoe het is om de zoon van een alcoholverslaafde te zijn. Ik heb lang genoeg gehuicheld. Laat anderen maar doen alsof ze verdrietig zijn, ik weiger het spel nog langer mee te spelen.' Hij praat te hard. Opnieuw worden er geërgerde blikken in zijn richting geworpen. Hij ziet ze niet. 'Laat me gaan.' Hij duwt Lia's hand van zijn arm. 'Ga jij maar koffiedrinken. Ik red me wel.'

'Ik ga met je mee,' zegt ze vastbesloten. Hij wil er iets tegen inbrengen, maar als hij haar gezicht ziet, slikt hij zijn woorden in. Haar hand grijpt de zijne. Samen lopen ze de begraafplaats af.

Er slingeren studieboeken op tafel en op de oude leren bank, die Yannick met een grijze grand foulard weer toonbaar heeft gemaakt. Lia zet koffie in de keuken. Begin dit jaar heeft hij deze kleine naoorlogse woning in de binnenstad van Zwartburg gehuurd met het vooruitzicht dat hij er op een dag samen met Lia zal wonen. In de warmte komt hij langzaam maar zeker tot zichzelf. Hij leunt achterover op de bank. Het plantenbakje op tafel heeft zijn beste tijd gehad. Lia moppert altijd dat hij zijn planten vaker van water moet voorzien en dat hij een echte ongezellige mannenhuishouding voert. Zelf voelt hij zich hier thuis. Hij trekt zijn voeten onder zich op de bank en kijkt toe hoe Lia de mokken koffie op tafel zet, wat boeken aan de kant schuift en naast hem op de bank gaat zitten. Ze heeft haar keurige paarse jurkje met Paisley-dessin verruild voor een makkelijke spijkerbroek en comfortabele felrode coltrui. Haar lange donkerblonde haren golven over haar smalle rug.

'Ik hou van je,' zegt hij.

Ze glimlacht. 'Ik ook van jou, maar dat wil niet zeggen dat ik het met je eens ben. Je had gewoon niet weg moeten lopen tijdens het Onzevader.'

'Je begrijpt het niet.'

'Ik begrijp je heel goed,' reageert ze hartstochtelijk. 'We kennen elkaar al heel lang, Yannick. In al die jaren dat we samen zijn, heb ik heel veel gezien. Ik weet hoe moeilijk het was om een moeder te hebben die aan de drank verslaafd was. Ik herinner me hoe erg je het vond om me dat te vertellen en hoe je ertegenop zag om me voor de eerste keer mee naar huis te nemen.' Ze buigt zich naar hem over. 'En ik vroeg me alleen maar af of ik wel genade kon vinden in de ogen van jouw ouders. Je vader was chirurg, dat maakte destijds indruk op me. Mijn vader had een suf baantje bij Sociale Zaken van de gemeente, maar jouw vader was iemand.'

'Van dat idee was je snel genezen.'

'Gelukkig wel. Jouw vader was hartelijk en open. Ik weet nog dat hij direct zei dat ik hem Sierd mocht noemen. Het kostte me geen enkele moeite om de mens in hem te vinden. Hij liet me gewoon zijn kwetsbare kanten zien, hij had belangstelling voor me. Als er iemand is die niets opheeft met rangen en standen, dan is dat jouw vader wel.'

'Mijn vader had na die scheiding van mijn moeder alle contacten met haar moeten verbreken,' merkt Yannick op.

'Zijn liefde voor je moeder bleef, ook na alles wat ze deed, en ook na de scheiding. Ik vond dat bijzonder.' Ze pakt de mok koffie in haar handen, neemt nadenkend een klein slokje. 'Jullie hebben allemaal geleden onder de situatie. Ik vraag me af of dat voorbij is nu je moeder is overleden. Dat ligt in jullie handen, ook in jouw handen. Jij bent niet de enige met pijn. Felia heeft onder de situatie geleden. Jij hebt op een gegeven moment je intrek bij je vader genomen, maar Felia heeft nog jarenlang bij je moeder gewoond, voor haar gezorgd en zichzelf weggecijferd.'

'Dat was haar eigen keuze.'

'Het leven bestaat steeds weer uit eigen keuzes. Dat geldt voor Felia, voor je vader en voor jou net zo goed. Jij kunt ervoor kiezen om in het verleden te blijven hangen, maar je kunt ook besluiten om het samen met je familie te verwerken. Geluk is voor een groot deel een verantwoordelijkheid van jezelf.'

'Dat is makkelijk gezegd als je zelf niet zoveel ellende in je leven hebt gekend.'

Lia knijpt haar ogen tot spleetjes. 'Daar kun je het natuurlijk ook op gooien. Je kunt blijven vluchten en menen dat niemand je begrijpt. Je kunt de verantwoordelijkheid bij anderen leggen, maar daar wordt niemand beter van. Jijzelf ook niet.'

'Je had dominee moeten worden.'

Hij ziet hoe Lia zich gekwetst terugtrekt in de hoek van de bank, zo ver mogelijk bij hem vandaan.

'Nou ja, je weet het altijd zo mooi te zeggen,' probeert hij zijn woorden te verzachten. 'Wat mij betreft praten we er nooit meer over. Het is passé.'

Hij zou willen dat ze nu zou instemmen, maar ze reageert helemaal niet, drinkt gewoon haar mok leeg.

'Nooit meer dus,' zegt hij nog eens, alsof hij zichzelf wil overtuigen. Bij gebrek aan bijval grijpt ook hij zijn mok van tafel om die zwijgend leeg te drinken.

Een uur later ziet Yannick de auto van zijn vader langzaam door de straat rijden. Hij had bezoek van zijn vader verwacht en tegelijkertijd had hij gehoopt dat hij niet zou komen. Op dit moment heeft hij niet de minste behoefte aan discussies waar ze toch niet uit zullen komen. Langzaam staat hij op van de bank en slaat voor het raam de verrichtingen van zijn vader gade, die een parkeerplek heeft gevonden.

In de keuken is Lia bezig met de voorbereidingen voor de maaltijd. Het lijkt vaak alsof Lia hier al woont. Van hem zou ze mogen, graag zelfs, maar Lia heeft zo haar principes. 'Als we getrouwd zijn, kom ik hier wonen,' zei ze altijd. 'Ik voel me hier helemaal thuis, maar ik blijf niet slapen.'

Straks zal ze aan zijn vader vragen of hij blijft eten, zijn vader zal zeker niet weigeren. Lia en hij zijn dol op elkaar.

Er wordt een autoportier dichtgeslagen, hij ziet zijn vader gehaast naar de voordeur lopen, in het voorbijgaan zijn hand opstekend als hij Yannick voor het raam ontwaart.

'Wie is daar?' wil Lia weten als ze hem naar de deur ziet lopen.

'Mijn vader!'

'O, leuk!'

Nee, niet leuk. Met nauwverholen ergernis opent Yannick de voordeur. Peilend haken hun ogen in elkaar. Yannick doet een stap achteruit om zijn vader binnen te laten. Hij lijkt ineens grijzer, naast zijn mond zijn lijnen die Yannick nooit eerder zijn opgevallen. De huid van zijn hals lijkt ruimer, maar zijn oogopslag is aandachtig en helder als altijd. 'Zo jongen, kon je het vanmiddag niet meer volhouden?'

Yannick haalt zijn schouders op.

'Het was een moeilijke dag,' hoort hij zijn vader zeggen. 'Een zware dag voor ons allemaal.' Voor Yannick uit loopt hij naar de kamer, waar Lia hem warm begroet door haar armen om hem heen te slaan. 'Wat fijn dat je er bent, pa. Daar doe je goed aan. Wat was het moeilijk vandaag, en speciaal voor jou.' Ze kust hem hartelijk op beide wangen. 'Blijf je straks bij ons eten? Het is goed om juist nu bij elkaar te zijn.'

Hij loopt achter haar aan naar de keuken en kijkt in de pannen alsof hij hier thuis is. Terwijl Yannick de drankjes inschenkt, hoort hij zijn vader en Lia geanimeerd praten.

Hij voelt zich een vreemde in zijn eigen huis.

Vanaf de eerste kennismaking tussen Lia en zijn vader was

die wederzijdse genegenheid er geweest. Yannick kreeg verkering met haar toen ze allebei zestien jaar oud waren. In hun omgeving werd schamper over kalverliefde gepraat, en dat het nog wel voorbij zou gaan. Er ging niets voorbij. Na al die jaren zijn ze nog steeds onafscheidelijk. Lia had hem gesteund op moeilijke momenten, ze had zijn beslissing gerespecteerd toen hij besloot om bij zijn vader te gaan wonen na de scheiding van zijn ouders. Hij had haar geholpen met haar studie Sociaal Pedagogische Hulpverlening toen ze het niet meer zag zitten.

Yannick genoot ervan om bij Lia thuis te zijn, waar ze de oudste van vier zussen was. Haar vader was een rustige man die de bedrijvigheid van zijn vrouw en vier dochters gelaten over zich heen liet komen. Af en toe liet hij zich gelden, en in zo'n geval bleek hij toch groot respect van vrouw en kinderen te genieten. Hij noemde hen gekscherend 'mijn harem', hield Yannick voor dat hij dolgelukkig was om eindelijk een man en medestander in huis te hebben en dat hij niet kon wachten tot al zijn dochters verkering zouden hebben zodat er eindelijk balans in zijn huishouding zou ontstaan.

Lia's moeder hoorde het altijd lachend aan. Ze had nooit een baan buitenshuis geambieerd. Volgens haar behoorden moeders bij hun kinderen te zijn. Bovendien voelde ze zich geen huisvrouw maar huismanager en die functie vervulde ze met verve.

De maaltijd was in huize Blankvoort altijd het hoogtepunt van de dag. Niet dat Lia's moeder culinaire hoogstandjes op tafel zette, maar tijdens het eten passeerden de gebeurtenissen van de dag de revue. Ook politieke aangelegenheden of geloofszaken werden besproken. Yannick wist de eerste keer niet wat hem overkwam. Samen de maaltijd gebruiken kon gezellig zijn, ook als er gewone stamppot boerenkool, hutspot of bloemkool met een eenvoudig sausje in pannen op tafel stond. Zijn eigen moeder dekte de tafel zorgvuldig, koos voor haar fijnste servies, kookte uitgebreid, en toch was het nooit gezellig. Ze had de smoor in omdat haar gerechten vaker niet dan wel lukten, of omdat hun complimenten niet overtuigend genoeg overkwamen.

Heel vaak kookte ze niet, maar lag ze op de bank of in bed als hij uit school kwam. Of ze probeerde te koken maar gaf het halverwege op omdat het niet werd zoals ze wilde. Zijn enige zus Felia had die taken in de loop van de tijd op zich genomen. Hij was zo min mogelijk thuis.

Zoveel wrange herinneringen. Hij voelt nu alweer zijn woede opwellen, terwijl zijn vader een ovenschaal naar de tafel brengt. Zijn vader had na die scheiding gewoon alle contacten met zijn moeder moeten verbreken. Nu hadden ze haar geen van allen los kunnen laten. De luimen van zijn moeder regeerden hun leven. Daarom was zijn vader ook nooit aan een nieuwe relatie begonnen. Zijn moeder was op de allereerste plaats blijven staan.

Lia had daar begrip voor. Hij nam het zijn vader kwalijk.

De maaltijd verloopt zonder wanklank. Er wordt vooral gepraat over de afgelopen dag, de mooie dienst, de vele mensen, de prachtige bloemen en de flat die nog ontruimd dient te worden.

Lia en zijn vader hebben voornamelijk gepraat. Yannick heeft zich zo veel mogelijk afzijdig gehouden zonder dat het iemand lijkt op te vallen. Lia houdt hem met een handgebaar tegen als hij de tafel wil afruimen voor het dessert. 'Blijf maar lekker zitten, dat doe ik wel. Ik moet nog even de slagroom opkloppen.'

Zodra zij weg is, valt er een stilte. Yannick voelt zich verplicht het gesprek op gang te houden. Hij biedt zijn vader nog een glas water uit de karaf op tafel aan, zoekt naar veilige onderwerpen, en probeert iets interessants over zijn studie naar voren te brengen.

'Ik baalde vanmiddag.' Zijn vader lijkt niet geïnteresseerd in zijn afstudeerproject. Yannick zwijgt onthutst.

'Ik baalde omdat je niet het fatsoen en de moed kon

opbrengen om één keer niet aan jezelf te denken, maar aan je moeder en aan de mensen om je heen.'

'Heeft ze voor mij ooit zoveel fatsoen...' begint hij, maar zijn vader legt hem met een handgebaar het zwijgen op.

'Het ging vanmiddag niet om het gevoel van Yannick Bergsma. Dat is ons genoegzaam bekend. Je moeder heeft een moeilijk leven gehad. Daar kun je heel wat tegen inbrengen, maar dat feit blijft recht overeind. Ze vocht om haar problemen te overwinnen en faalde. Zelf had zij het daar misschien nog het moeilijkst mee. We kennen allemaal haar beroerde jeugd. We weten van het misverstand dat tussen haar en haar moeder ontstond. Het moet toch vreselijk zijn om als kind te denken dat je moeder liever wilde dat je er niet was?'

'Ieder mens heeft zo toch zijn portie ellende te overwinnen,' probeert Yannick. 'Stel je voor dat iedereen...'

'Wat zij heeft meegemaakt, was wel heel heftig!' Zijn vader begint zijn stem te verheffen. 'Hoe denk je dat het is om te horen dat je moeder mishandeld wordt? Hoe denk je dat het voelt als je meent dat die moeder jou niet hoeft? Dat is het meest wrange van alles. Toen dat misverstand na al die jaren eindelijk uit de weg was geruimd, overleed haar moeder plotseling. Ik ben ervan overtuigd dat jouw moeder haar verslaving zou hebben overwonnen als dat niet was gebeurd. Waarschijnlijk kunnen we ons niet eens voorstellen hoe eenzaam ze zich toen heeft gevoeld.'

Yannick haalt diep adem. 'Ze had zich niet eenzaam hoeven te voelen,' zegt hij ingehouden. 'We deden allemaal ons best om er voor haar te zijn. Ik had haar alles kunnen vergeven als ze toen eindelijk eens het lef had gehad om die rotfles te laten staan. Ik had haar willen steunen, en ik niet alleen. Jij weet ook hoe Felia altijd weer voor haar klaarstond. Het was niet genoeg. Ze bleef maar janken over dat verleden, alsof wij er niet toe deden. Ze kon de verleiding weer niet weerstaan. Ik had al niet zoveel met mijn moeder, maar toen is er iets geknapt. Laat ik maar eerlijk zijn: ik ben blij dat ze dood is.'

'Yannick, zeg zulke dingen toch niet.' Zijn vader wordt bleek, maar Yannick is niet meer te remmen. 'Jij weet niet hoe het was om als kind thuis te komen en doodsbang te zijn dat ze weer straalbezopen op de bank lag. Dat is afschuwelijk! Ze had het goed kunnen maken door er gewoon te zijn op de belangrijke momenten in mijn leven. Ze was niet eens in staat om ook maar één keer de drank te laten staan als ik mijn verjaardag vierde. Weet jij hoe het voelt als je moeder aangeschoten met het gebak rondgaat? Ik heb geprobeerd om haar alles te vergeven, maar dát zal ik haar nooit kunnen vergeven. Ik ben blij dat het voorbij is.'

'Yannick...' Lia's stem klinkt zacht en dwingend. Ze is de kamer in gekomen met dessertschaaltjes en heeft net zijn laatste woorden gehoord.

'Nee, niks Yannick! Ik heb er genoeg van!' Hij staat op, houdt Lia met een handgebaar tegen als ze op hem af wil lopen. 'Jullie bedekken alles met de mantel der liefde, maar ik doe er niet langer aan mee. Voor mij is het klaar, over en uit. Ik wil niet meer over mijn moeder praten!'

'Ze heeft deel van ons leven uitgemaakt,' probeert Sierd. Hij is ook opgestaan. 'Je kunt niet doen alsof ze er niet geweest is.'

'Ik wel. Het zal een ware opluchting voor me zijn om nooit meer over haar te hoeven praten. Nóóit meer, en als jullie me nu willen excuseren?'

'Ik heb je favoriete ijs,' werpt Lia tegen.

'Eet dat maar lekker met z'n tweeën op. Jullie voelen elkaar zo goed aan. Laat mij nu eens niet de dissonant zijn.' Zijn voetstappen bonken woedend op de fraaie laminaatvloer in de gang, de buitendeur valt met een klap achter hem dicht. Buiten trekt hij zijn jas aan, de wind is koud en laat zijn ogen tranen.

Café De Oude Herberg zit vol met mensen die het weekend inluiden. Al zijn de asbakken van tafel verwijderd en de rokers naar buiten verbannen, de geur van sigarettenrook is blijven hangen als aandenken aan de tijd dat alles anders was. Yannick is er nog nooit geweest, maar vanavond werd hij ineens aangetrokken door de warmte en het feit dat hij nog lang niet naar huis wil. Laat Lia zich maar zorgen maken. Misschien maakt ze zich geen zorgen, maar is ze al woedend vertrokken, dan weet hij in ieder geval waar hij aan toe is. Ze zal wel geschokt zijn door zijn harde woorden.

Onwennig staat hij aan de bar, bestelt een biertje en gaat aan een van de tafeltjes langs de muur zitten. Het tafelblad is beschadigd en voelt kleverig aan. Rondom hem gaan de geanimeerde gesprekken door, af en toe met stemverheffing, soms vergezeld van een lachsalvo. Hij voelt zich onzichtbaar en slecht op z'n gemak. Onophoudelijk spelen zijn vingers met het glas voor hem, alsof het zijn enige houvast in dit café is. Af en toe neemt hij een slok, veegt met een verstolen gebaar het schuim uit zijn mondhoeken.

Er schuift een jonge vrouw zijn kant op, die even daarvoor een eind verderop stond. Het vale, roodgeverfde haar was hem opgevallen, en de skinny jeans. Hij had zich afgevraagd hoe ze die aantrok. Nu ontdekt hij dat ze grote bruine ogen heeft die hem belangstellend aankijken. Harde, zwarte lijnen en glanzende oogschaduw benadrukken die ogen nog eens. Hij wendt zijn blik af, maar het is al te laat.

'Is deze stoel vrij?'

Met tegenzin knikt hij, hij drinkt met grote slokken zijn glas leeg met de intentie direct op te stappen.

'Je vindt het niet prettig dat ik bij je kom zitten,' concludeert ze, terwijl ze haar dunne benen over elkaar vouwt. Vanonder haar lange wimpers blijft ze hem onderzoekend aankijken. 'Dat had je ook gewoon mogen zeggen. Soms wil je gewoon even rustig ergens zitten zonder te praten. Daar heb ik best begrip voor. Ik heet overigens Coby Kouwenaar.' Ze glimlacht een stel witte, regelmatige tanden bloot.

Hij is niet van plan zijn naam te noemen, maar vindt het

nu toch onbehoorlijk om op te staan en weg te gaan. 'Zo erg is het niet,' antwoordt hij onwillig.

'Er is ook niets meer aan te doen, want ik zit al. Als ik niet zo'n last van m'n rug had, zou ik direct weer gaan staan, maar ik moest gewoon even zitten en de kroeg zit verder helemaal vol. We zijn dus tot elkaar veroordeeld.'

Zonder iets te vragen, fluit ze naar de barkeeper en schreeuwt dat ze twee biertjes wenst.

'Ik hoef geen bier meer,' meldt Yannick afwerend.

'Kom op, één biertje moet nog kunnen.' Coby grijnst spottend. 'Of word je dan misselijk?'

'Ik drink haast nooit.'

Hij ziet hoe ze haar wenkbrauwen optrekt, maar ze zegt niets meer en wacht tot de glazen voor hen worden neergezet. Ontspannen leunt ze achterover als ze haar eerste slok neemt. Ze kijkt hem aandachtig aan. 'Ik hoop dat je het me niet kwalijk neemt dat ik het zeg, maar je ziet er niet bepaald uit alsof je hier voor je plezier zit. Heb je trammelant thuis of heeft je liefje het uitgemaakt?'

Alles aan Coby lijkt brutaal, haar verwassen korte, rode haar dat eigenwijs alle kanten uit piekt, haar blik, het hardgroene shirt dat strak rond haar smalle lijf valt, de ringen rond haar kleine vingers.

Hij bedenkt wat hij nu weer moet zeggen zonder de waarheid heel erg geweld aan te doen. Het komt geen moment in hem op dat hij niet hoeft te antwoorden. 'Af en toe heeft een mens problemen,' houdt hij zich op de vlakte.

Ze kijkt hem nadenkend aan, heft haar glas. 'Op onze kennismaking!'

Met tegenzin imiteert hij haar gebaar, zint onderwijl op een manier om hier zo snel mogelijk weg te komen.

'Lijkt het nou zo of ben je getrouwd?' Haar blik heeft zijn ringvinger gevonden.

Betrapt zet hij zijn glas weer neer. 'Dat is een vriendschapsring,' zegt hij, terwijl hij de ring rond zijn vinger draait.

'Gelukkig maar. Ik vind je veel te jong voor een gehuwde man.'

Hij wordt altijd jonger geschat, maar nu vindt hij het echt vervelend. 'Ik ben toch al vijfentwintig,' zegt hij met nadruk.

'Dan zie je er jonger uit dan je in werkelijkheid bent. Maar vijfentwintig zou ik ook nog jong voor trouwen vinden. Ik ben dat in ieder geval niet van plan.'

'Wacht maar tot je vijfentwintig bent en de ware hebt gevonden.'

'Heb jij de ware gevonden?'

'Ja, ik denk dat ik haar binnenkort ten huwelijk ga vragen.'

De gedachte komt ineens in hem op. Nu hij hier zit en met deze jonge vrouw praat, weet hij ineens dat hij niet zou weten wat hij zonder Lia zou moeten.

'Wat romantisch.' Weer die spottende blik. Met een paar slokken drinkt ze haar glas leeg. 'Mocht ze weigeren, laat het me dan even weten. Of vind je achttien te jong?'

'Ik geloof dat ik nu toch maar naar huis ga,' zegt hij.

'Je hebt je bier nog niet op, dat is ondankbaar.'

'Ik drink nooit zoveel.'

'Zoveel? Dit is je tweede glas! Je hebt dat eerste veel te snel leeggedronken, dat is het. Neem hier even de tijd voor. Daarna hoef je van mij niet meer.'

Hij schudt zijn hoofd en maakt aanstalten om op te staan.

'Je hebt een alcoholprobleem in de familie.' Coby slaat haar armen over elkaar. 'Zeg het maar eerlijk. Ik weet het precies. Mensen met zo'n verslaving in de familie zijn vuurbang dat ze dezelfde weg gaan. Alcoholisme is namelijk erfelijk. Laatst las ik dat zelfs vijftig procent van de kinderen van een alcoholist zelf ook alcoholisme ontwikkelt.'

'Nou, ik in ieder geval niet.' Hij staat op.

'Raak dus,' merkt ze tevreden op. 'Vertel, is het je vader of je moeder?'

'Ik heb geen zin om erover te praten.' Hij probeert niet al te onbeleefd te lijken.

Coby staat ook op. 'Het spijt me als ik te opdringerig leek.

Je zat daar zo verloren, en nu ik weet dat jij ook...'

'Wat, dat jij ook?'

'... een alcoholprobleem hebt in de familie. Mijn vader kan er niet van afblijven. Ik schijn er een neus voor te hebben om lotgenoten te ontdekken. Misschien omdat ik het fijn vind om met iemand te praten die hetzelfde meemaakt als ik. Ik voel me vaak alleen.'

Die opmerking raakt hem. Coby lijkt plotseling kwetsbaar, net zo kwetsbaar als hij. Hij laat zich echter niet uit de tent lokken. 'Bedankt voor je biertje.'

'Maar je drinkt het niet op.'

'Nee, ik drink het niet op.'

Ze steekt haar hand uit. 'Kom nog eens als je wilt praten. Ik zou het fijn vinden. Vrijwel elke vrijdag- en zaterdagavond kun je me hier vinden. Ze schenken hier trouwens ook fris.'

Yannick moet ineens om haar lachen. Hij drukt haar hand. 'Misschien tot ziens,' zegt hij, maar eigenlijk gelooft hij daar niet in.

Er brandt nog licht in de kamer als Yannick thuiskomt, maar de auto van zijn vader staat niet meer in de straat. Lia zit op de bank met een boek.

'Het spijt me.' Onhandig blijft hij in de deuropening staan. 'Ik wist me gewoon even geen raad.'

'En dus vluchtte je zoals gewoonlijk.' Ze legt het boek aan de kant. 'Kan ik je iets inschenken?'

'Ik schenk mezelf wel een cola in.'

Ze drentelt achter hem aan als hij naar de keuken loopt. 'Ik vroeg me af waar je was. Heb je zo lang gelopen of ben je bij iemand geweest?'

Hij krijgt de neiging om te liegen, maar als ze haar armen om hem heen slaat en hem een kus geeft, weet hij dat hij al door de mand is gevallen.

'Lijkt het zo, of ruik je echt naar bier?'

'Je hoeft niet zo geschokt te doen. Een mens mag toch af

en toe wel een biertje drinken?'

'Je mag het wel, maar je doet het bijna nooit, en vanavond had ik het gewoon niet verwacht.' Ze heeft hem losgelaten, kijkt zwijgend toe hoe hij cola in een glas schenkt.

'Ik kwam langs De Oude Herberg en heb daar een biertje genomen.'

'Jij in een kroeg? Wat bezielt je vandaag?'

Ze loopt terug naar de kamer en aan de manier waarop ze dat doet, kan hij zien dat ze boos is. Onhandig volgt hij haar. 'Het is buiten koud,' licht hij toe. 'Ik wilde nog niet naar huis, en daarom dacht ik dat het geen kwaad kon om even...'

'Je beweert anders altijd dat daar alcoholisten gekweekt worden.'

'Het waren gewoon omstandigheden.'

'En je verwijt je moeder altijd...'

'Haal mijn moeder er nu niet weer bij.' Hij heeft een hekel aan ruzie. 'Het spijt me,' zegt hij deemoedig. 'Ik weet dat het stom was om weg te lopen. Het was ook niet handig om in dat café te gaan zitten. Ik weet niet precies wat het was. Ik voelde me verloren of zo.'

'En ging dat over in De Oude Herberg?'

'Nee,' erkent hij. 'Helemaal niet. Ik voelde me er helemaal niet op m'n plaats.'

Lia's woede zakt snel. 'Ik ben blij dat je weer thuis bent. Het was een heftige dag en ik begrijp best dat het allemaal heel moeilijk voor je was.'

'Ik ben ook blij,' stemt hij met haar in. Heel even aarzelt hij, dan laat hij zich op z'n knieën zakken. 'Bij jou voel ik me thuis, waar we ook zijn en wat we ook doen. Bij jou kom ik tot rust, bij jou kan ik mezelf zijn.' Hij ziet hoe haar verraste blik zacht wordt en dat geeft hem de moed om door te gaan. 'Lieve Lia, ik had me dit moment anders voorgesteld, maar toch heb ik het gevoel dat ik je het juist nu moet vragen: wil je met me trouwen?'

Hij ziet de emoties op haar gezicht en verwacht dat ze zal zeggen dat ze dit niet het moment vindt, dat zijn moeder nog maar net begraven is, dat ze het liever een andere keer nog eens overdoet.

'Ja, dat wil ik,' zegt ze in plaats daarvan. 'We zullen misschien nog even moeten wachten met plannen, zo kort na het overlijden van je moeder. Toch kan ik alleen maar volmondig 'ja' zeggen. Ik wil niets liever.'

Hij staat op. Hij kust haar. Ergens in zijn hoofd zegt een stem plagerig: 'Wat romantisch.' Hij sluit zijn ogen en probeert zo die donkere ogen buiten te sluiten.

2

Op het raam van het appartement waar Bodil Sijtsma de laatste jaren van haar leven heeft doorgebracht, is een plakkaat aangebracht waarop staat dat het appartement te koop is. De makelaar was bepaald niet optimistisch gestemd. 'Bereid u erop voor dat het wel even kan duren,' had hij hun zorgelijk voorgehouden. 'De economisch barre tijden doen de woningmarkt momenteel geen goed.'

Felia vond dat ze best konden beginnen met de ontruiming van de flat. 'We kunnen de grote meubels en wat lampen laten staan, maar waarom zouden we de kasten niet vast leeghalen?'

Iedereen had dat een prima idee gevonden, behalve Yannick, maar hij had zijn bezwaren wijselijk voor zich gehouden. Hij had geen zin in eindeloze discussies met mensen die hem toch niet wilden begrijpen.

Als het appartement leeg is, kan hij misschien eindelijk een punt achter het verhaal zetten.

Het zijn gedachten die hij niet hardop uitspreekt. Wie zou hem begrijpen? Iedereen vindt dat hij moet vergeven en vergeten. Vergeten wil hij zelf ook graag, maar vergeven, dat lukt hem nooit. Niemand mag dat van hem verwachten. Zelfs Lia niet. Het vreemde is dat het juist Lia is die daar steeds weer op aanstuurt. Het is Lia die steeds weer over zijn moeder begint. 'Het zal toch heel moeilijk voor je zijn als jouw moeder er op onze trouwdag niet zal zijn,' had ze verondersteld. Hij had haar niet tegengesproken, maar wel was de gedachte in hem opgekomen dat Coby hem zou begrijpen als hij zou beweren dat hij juist opgelucht is dat zijn moeder die dag niet kan bederven. Vreemd, hij heeft de afgelopen weken geen moment meer aan de jonge vrouw uit het café gedacht. Heel even had ze deel uitgemaakt van zijn leven, maar ze is een voorbijganger, zoals zoveel anderen.

'Jacoba, ik wil je nu in de winkel zien!'

Het onderwerp dat heel even in Yannicks gedachten was, komt met tegenzin op de harde stem van haar vader af.

'Ik moet huiswerk maken,' verzucht ze.

'Dat huiswerk wacht wel. De klanten niet.' Achter hen klinkt het bekende belletje dat meldt dat iemand de bloemisterij heeft betreden. Haar vader begint nu gejaagd te praten. 'Die nieuwe bloempotten moeten in de schappen. Het zijn de nieuwste kleuren en dit is wat de mensen vragen. Ze willen altijd het laatste, het modernste. Ik probeer bij te blijven, maar dan verwacht ik wel wat steun van je. Als die mensen hier niet kunnen krijgen wat ze willen, gaan ze de volgende keer naar een ander en ik krijg ze hier niet meer terug. Onthou dat goed, Jacoba.'

Coby zucht geërgerd om het vreselijke 'Jacoba' dat haar vader altijd weer gebruikt. Hij is net zo ouderwets als de kleine bloemenwinkel met de welluidende naam 'Alberts Flowertheek' waarmee hij in dit dorp tracht te overleven. Meer dan eens krijgt ze hier het idee dat ze stikt en dat de tijd hier al die jaren heeft stilgestaan. Hoe is het toch mogelijk dat haar vader werkelijk denkt dat ze later deze onmogelijke winkel over zal nemen en zich net zo in dit dorp zal begraven als hij? Ze heeft niets met bloemen en nog minder met dit dorp, maar mist het lef om het hem ronduit te zeggen. Hij was er al nooit overheen gekomen dat haar moeder hem op een dag had verlaten.

'Nog iets,' hoort ze haar vader zeggen als ze meent dat hij eindelijk naar de winkel zal vertrekken. 'Mevrouw Verhoef was vanmorgen in de winkel.' Ze blijft stokstijf staan.

'Ze vertelde me dat je op vrijdagavond nooit bij Astrid bent om samen huiswerk voor school te maken.' Zijn stem klinkt dreigend.

'Ik...'

'Je hoeft nu niets te zeggen. Na sluitingstijd praten we erover. In ieder geval ben je aanstaande vrijdag tijdens de koopavond gewoon hier.'

‘Kinderarbeid,’ moppert ze.

‘Wie roept hier altijd dat ze meerderjarig is en ook zo behandeld wil worden? Hier kun je laten zien wat je waard bent. De doos met bloempotten staat overigens al in de winkel.’

Mopperend loopt ze achter hem aan door het gekleurde vliegengordijn dat winkel en werkplaats van elkaar scheidt. Ze hoort hoe haar vader de jonge vrouw bij de toonbank groet. Zijn stem die even daarvoor nog woedend klonk, loopt nu over van vriendelijkheid. Met tegenzin snijdt ze de doos open, terwijl ze onderwijl het gesprek achter haar volgt.

‘Nee, helaas heb ik op dit moment geen heleconia’s,’ hoort ze haar vader zeggen.

De vrouw merkt snibbig op dat ze haar zinnen nu juist op een bloemstuk met heleconia’s had gezet.

‘Ik heb wel anthuriums, zoals u ziet. Misschien kunt u die in plaats van heleconia’s gebruiken?’ stelt haar vader voor. Het klinkt slijmerig en ze weet nu al dat het niets zal helpen. Ze schuift wat bloempotten, die al op de plank staan, aan de kant om plaats te maken voor de nieuwe.

‘Dat is hier altijd de ellende,’ zegt de jonge vrouw. ‘Als ik een mooi idee heb, kan het in dit snertwinkeltje nooit uitgevoerd worden. Ik zie hier zo weinig creatiefs. Al die bloemstukjes zijn misschien mooi voor oude mensen, maar niet voor mijn kennissen. Vindt u het een wonder dat ik liever naar een winkel in de stad ga?’

Haar vader brengt daar iets tegen in, maar de vrouw is niet voor rede vatbaar. ‘Ik rij liever een paar kilometer om dan dat ik nu weer iets anders moet gaan bedenken omdat hier gewoon weer niets fatsoenlijks te krijgen is.’

‘We kunnen er samen misschien iets op verzinnen,’ houdt haar vader met de moed der wanhoop aan. Coby voelt zelfs iets van medelijden. De klant lijkt daar geen last van te hebben.

‘Ik ga wel naar iemand die ter zake kundig is, al betekent

dat dan ook dat ik nu genoodzaakt ben om weer in de auto te stappen.'

Haar hakken klikken driftig op de plavuizen vloer als ze naar de buitendeur loopt. Coby kijkt niet naar haar vader, maar ze weet hoe verslagen hij er nu bij staat. Zuchtend begint ze de eerste bloempotten in het schap te zetten.

Veel later zit ze tegenover haar vader aan tafel. De winkel is dan allang uitgestorven, op het plein daar tegenover is ook al geen levende ziel meer te bekennen. Het is net alsof alle mensen in dit dorp na zevenen 's avonds zich in hun huizen terugtrekken om zich precies twaalf uur later weer te laten zien. Lusteloos roert Coby door haar bonen, ze snijdt een stukje rundvlees af en kauwt alsof het elastiek is. Haar vader prakt zijn aardappels en eet hoorbaar.

'Zo,' begint hij dan en als ze naar hem kijkt, ziet ze aardappelkruimels aan zijn kin plakken. 'Kun je me nu ook vertellen waar jij vrijdagavond uithangt als je niet bij Astrid bent?'

'Meestal zit ik dan gewoon in De Oude Herberg, waar ik op zaterdagavond ook ben,' bekent ze.

'Terwijl je weet dat ik je hier hard nodig heb?'

'Hard nodig? Zo druk heb je het hier anders niet.'

'Je vergeet wat er allemaal bij komt kijken.'

'Ik heb niet om die winkel gevraagd. Zaterdag overdag wil ik best helpen, maar de avonden in het weekend zijn van mij. Dan vraag je Siggi maar wat vaker. Ze doet het graag en ze kan het geld goed gebruiken.'

'In het vervolg ben je op vrijdagavond gewoon waar je hoort te zijn!' Zijn stem klinkt onverbiddelijk. Ze wil nog iets zeggen, maar zwijgt als ze zijn donkere ogen ziet. Hij kijkt haar aan alsof hij haar zo vast wil houden. Nerveus friemelt ze aan het korte rokje dat ze draagt. Het schijnt hem ineens op te vallen. 'En in dat rokje wil ik je niet meer zien lopen. Dan kun je net zo goed niets aandoen. De mensen zullen er schande van spreken.'

'Ik trek aan wat ik wil.' Het klinkt niet overtuigend en levert haar alleen een schampere lach op.

'En ik ben nog steeds je vader.'

'En ik ben volwassen!' Er valt een diepe, dreigende stilte tussen hen. Alleen zijn zware ademhaling is te horen. Coby bijt op haar lip. Hij doet een stap in haar richting. Ze voelt zijn handen op haar schouders, zijn warme ademhaling in haar gezicht. 'Ik weet niet hoe ver je gaat, Jacoba, maar ik moet je als vader ernstig waarschuwen. Het is toch de taak van een moeder, maar die van jou... die van jou...' Hij hapt naar adem, laat haar schouders los. 'Nou ja, je weet precies hoe die van jou is. Die heeft al zo lang niet meer naar je omgekeken en daarom zeg ik het maar: als je ooit zwanger thuiskomt...' Hij stopt even, ademt zwaar door zijn neus. 'Je bent m'n oogappel, kind, maar als je ooit zwanger thuiskomt, ken ik je niet meer. Je zou m'n dochter niet meer zijn. Onthou dat, onthou dat goed...'

'Dat is het?' Ze heeft een afkeer van zijn ademhaling, die naar sigaretten ruikt, van de manier waarop hij daar staat in zijn keurige lamswollen trui en de broek met de perfecte vouw. Zijn haar wordt eens per twee weken geknipt door de fantasieloze kapper uit het dorp. Het is in de loop der jaren steeds grijzer geworden, maar er zit geen haar verkeerd. Alles aan haar vader is even keurig. De enige dissonant is de geelheid van zijn vingers, veroorzaakt door jarenlang roken.

'In De Oude Herberg komen mensen die om me geven,' merkt Coby ineens op als hij zich omdraait en een sigaret begint te draaien. 'Daar verwachten ze niets van me. Daar stellen ze gewoon belang in me. Misschien moet je daar eens over nadenken, pa.'

'Zo praat je niet tegen je vader.' Zijn ogen vernauwen zich terwijl zijn ademhaling steeds zwaarder klinkt. Geagiteerd likt hij aan zijn versgedraaide sigaret. 'Je bent dan wel meerderjarig, maar in dit huis gelden mijn regels. Als ik zeg dat je op vrijdagavond thuisblijft, dan blijf je thuis, anders kun je de zaterdagavond ook vergeten.'

'Ik heb hier m'n langste tijd wel gehad.' Ze staat op. Hij volgt haar voorbeeld. Haar hoge hakken zorgen ervoor dat hij naar haar op moet kijken.

'Je zou eens niet van die schoenen moeten dragen. Ze zijn slecht voor je rug,' moppert hij verder. 'En waar zou je van willen leven als je elders gaat wonen?'

'Ik vind heus wel ergens een baantje en dan kun je me niet langer tegenhouden. Dan zit je hier helemaal alleen in die rotwinkel van je.'

Ze ziet dat hij bleek is geworden, ze verwacht half en half zijn klemmende vingers rond haar arm, maar hij steekt alleen met trillende vingers zijn sigaret aan. Terwijl hij de rook diep inhaleert, staart hij zwijgend naar haar. Ze weet niet anders te doen dan naar haar kamer gaan. Hij blijft zwijgen.

Het was niet altijd zo geweest. Coby weet zich de tijd nog te herinneren toen ze vlak bij Amsterdam woonden. Hun flat was niet ruim, maar ze waren veel gelukkiger: haar vader, haar moeder en zijzelf. Ze weet nog dat ze soms met de trein naar de stad reden om daar te gaan wandelen in het Vondelpark of om gewoon door de winkelstraten te flaneren. Als het mooi weer was, gingen ze met de kleine auto van haar vader naar het strand. Haar moeder had een baan en daarom was ze soms bij een oppasmoeder die ze tante Roos noemde en die zelf drie dochters had. Ze speelde met Claire, Eileen en Hannah. Tante Roos maakte nooit onderscheid, daardoor voelde het vaak alsof ze echt zusjes waren. Ze hield van tante Roos die altijd zo heerlijk rook. Soms mocht Coby bij haar op schoot zitten, ze begroef haar gezicht dan in het kuiltje van haar hals, waar de geur het sterkst was.

Alles was echter veranderd toen haar vader klaar was met zijn opleiding voor bloemist en zijn baan bij een grote supermarkt inruilde voor het zelfstandig ondernemerschap in dit kleine dorp. 'Mijn droom wordt werkelijkheid,' zei hij, en met zijn droom begon Coby's nachtmerrie.

Elf jaar was ze toen ze verhuisden naar een fraaie vrijstaande woning aan de rand van het dorp. Haar vader zei dat ze mocht paardrijden als ze dat wilde en dat ze nu nooit meer naar een oppas hoefde als ze uit school kwam. Haar moeder probeerde nu na schooltijd gezellig met de theepot klaar te zitten, maar die rol lag haar niet. Coby miste tante Roos en haar dochters. Haar moeder wilde ineens van alles over school weten. Zij vertelde nauwelijks iets, en zeker niet dat ze gepest werd met haar accent en haar kleren. Voorbij was de tijd dat ze met z'n drieën leuke dingen deden. Haar vader had geen tijd, van haar moeder verwachtte hij ook dat ze hem in de winkel hielp. Maar hun samenwerking verliep moeizaam. Haar moeder had een creatieve geest, maar haar vader wilde dat ze zich bezighield met de administratie. Hij duldde haar inmenging op het gebied van boeketten en arrangementen niet. De frustraties werden steeds groter, de ruzies volgden elkaar op. Het lukte haar moeder niet om in het dorp aansluiting te vinden. Ze was te direct, volgens de dorpelingen had ze het te hoog in haar bol.

Later wist Coby zich te herinneren dat haar moeder al vaker had gedreigd met weggaan, maar ze had er nooit bij stilgestaan dat het daadwerkelijk zover zou komen. Coby verruilde het basisonderwijs voor het voortgezet onderwijs en moest daar dagelijks twaalf kilometer voor fietsen. Meestal trapte ze alleen tegen de wind in. Hoewel ze nu niet langer werd gepest, lieten haar dorps- en klasgenoten haar links liggen. Ze noemden haar 'de kakker'. Coby had nooit begrepen waarom.

Ondertussen gingen de ruzies door. Coby zat in de tweede klas van de havo toen haar ouders besloten dat haar moeder niet langer in de winkel zou werken. Volgens haar vader misten de klanten haar niet. Zou het hem niet zijn opgevallen dat haar moeder in de tijd daarna steeds stiller werd?

Coby herinnert zich nog zo duidelijk de dag toen er na thuiskomst uit school niemand op haar wachtte met een kopje thee. Wat wezenloos liep ze door het huis en ontdekte in de slaapkamer de geopende deuren van de kledingkast, die vrijwel geen kledingstuk meer van haar moeder bevatte. Ook het toiletmeubel leek onwaarschijnlijk leeg zonder de gebruikelijke crèmes en make-up. In de douche bleek haar moeders tandenborstel niet meer in het bekertje te staan. Het wilde maar niet echt tot haar doordringen. Daarom liep ze door naar de winkel om bij haar vader te informeren of haar moeder soms op vakantie was. Nooit meer zou ze het gezicht van haar vader vergeten nadat ze haar vraag had gesteld. Alle kleur was eruit weggetrokken. Hij had gevloekt, en dat had hem de vrouw van een kerkenraadslid als klant gekost. Op dat moment werd het Coby pas echt duidelijk dat haar moeder niet zou terugkomen. De tijd erna werd dat nog veel duidelijker. Haar vader liet geen gelegenheid onbenut om op haar moeder af te geven. Er deugde niets meer van haar.

Uit een soort kinderlijke loyaliteit had ze haar vader gesteund. Ze had geweigerd om haar moeder te ontmoeten. Een jaar later was ze van gedachten veranderd, maar toen liet haar moeder haar weten dat ze er niet langer behoefte aan had omdat ze een nieuw leven met een zekere Richard was begonnen.

Toen Coby Ton ontmoette, was ze zestien. Hij was knap, hij was een beginnend kunstenaar, en hij was dertig. Ton had haar getroost en langzaam was ze weer een beetje gelukkig geworden. Ze meende dat hij net zo van haar hield als zij van hem. Ze droomde van altijd samen zijn, maar daar had hij een stokje voor gestoken. Op een dag had hij haar verteld dat ze veel te jong was. Hij kon haar niet onderhouden, zijn toekomst was veel te onzeker. Later misschien, had hij gezegd. Ze moest geduld hebben. Hij hield wel van haar, maar samen hadden ze nu nog geen toekomst. Ze begreep het niet, maar ze stelde zich voor dat ze eerst haar studie moest afronden. Als ze haar diploma voor Medewerker Recreatie eerst maar had gehaald. Daarna zou ze werk kunnen vinden.

Nu ze hier op haar kamer zit, vraagt ze zich af of ze nog zo lang wil wachten. Ze is moe van de winkel, haar vader en zijn gezeur. Als ze morgen weg zou kunnen, zou ze het niet laten.

Er moet toch een oplossing zijn? Een bijbaantje of een plek waar ze een tijd kan verblijven?

Misschien moet ze Ton nog eens vragen. Ton, die zich tegenwoordig Almanzo laat noemen omdat hij dat beter voor zijn carrière vindt. Ze houdt van hem en ze zal hem laten zien dat het geen kalverliefde is. Meer dan twee jaar duurt haar liefde nu. Zegt dat niet genoeg, en is ze inmiddels niet volwassen? Ze is een vrouw, die de kunstenaar in hem echt zal begrijpen. Ze weet het zeker. 'Almanzo...' Zachtjes zegt ze zijn naam. 'Almanzo...' Hij heeft gelijk, het klinkt veel mooier dan Ton. Almanzo en Coby, of toch Jacoba? Hoe dan ook, ze horen bij elkaar. Ze weet het zeker.

Yannick zit op de rand van zijn bed en staart naar het medaillon in zijn hand. Langzaam laat hij de gouden ketting door zijn vingers glijden, hij knipt het medaillon open en bekijkt opnieuw de foto. Hij zal rond een jaar oud zijn geweest toen die foto genomen werd. Tegenover de foto zit een lokje van zijn dunne, blonde haar. Lia had het vanmiddag op de slaapkamer van zijn moeder gevonden en triomfantelijk was ze ermee naar hem toe gekomen. 'Ik denk dat jij dit maar moet bewaren. Ik weet nog dat je moeder het vrijwel altijd droeg, maar ik heb nooit geweten wat erin zat.'

Hij wist het ook niet. Moet het de zaak veranderen nu hij het wel weet?

Hij staart nogmaals naar het fotootje, naar het kind met het aarzelende lachje. Hij herkent zichzelf er niet in. Met een zwaai gooit hij de hanger van zich af. Die ketst tegen de muur en valt naar beneden.

Daar laat hij hem liggen.

De volgende morgen zit Yannick alweer vroeg in de trein die hem voor zijn studie informatiekunde naar de universiteit in Groningen brengt. Vier jaar lang al legt hij deze afstand een aantal dagen per week af.

Vandaag is het anders. Vandaag is het de eerste keer sinds het overlijden van zijn moeder. Hij had verwacht dat er niets veranderd zou zijn. Het traject is hetzelfde, de omgeving heeft geen verandering ondergaan, hij ziet zelfs mensen in de trein die hij vaker ziet. Rondom hem gaan de gesprekken over dezelfde onderwerpen waar ze altijd over gaan.

En toch is er iets veranderd.

Hij probeert zijn gedachten te richten op de buitenwereld, op de reiger die hij bij de slootkant ziet, de verlaten weilanden, de grijze hemel. Zijn gedachten laten zich niet sturen. Ze leiden hem naar de afgelopen weken.

'Ga naar haar toe,' had Lia hem voorgehouden nadat bekend was geworden dat ze leverkanker had. 'Je zult er spijt van krijgen als je niet gaat.'

Hij wilde niet. Hij zorgde ervoor dat hij haar zo min mogelijk hoefde te ontmoeten. Dat wilde hij gewoon zo laten, maar hij betrapte zichzelf erop dat het hem bezig bleef houden. Zijn onrust nam toe.

Er was geen andere oplossing dan te doen wat Lia had gezegd. Schoorvoetend had hij daarom zijn moeder opgezocht in het fraaie appartement van zijn vader. Na hun scheiding, enkele jaren daarvoor, had zijn moeder een eenvoudige flat betrokken. Zijn vader was in het appartement vlak bij het ziekenhuis blijven wonen, waar hij altijd al verbleef als hij dienst had. Hij vond het vanzelfsprekend dat hij de laatste maanden van haar leven voor zijn ex-vrouw zou zorgen. Daarvoor had hij een verpleegkundige ingehuurd, terwijl hij zelf zo veel mogelijk aanwezig probeerde te zijn.

Yannick had Lia buiten zijn plannen gehouden. Op het tijdstip dat hij anders de trein naar Groningen nam, zat hij die morgen in de bus die in de richting van het ziekenhuis reed. Hij was te vroeg, dronk in de hal van het ziekenhuis een kop koffie en vond dat hij toen wel naar de flat kon lopen. Toch nog te vroeg, als hij naar het gezicht van de potige verpleegkundige keek. 'Mevrouw moet nog gewassen worden,' had ze kortaf gezegd nadat hij zich had aangediend. 'Maar misschien wilt u wachten?'

Wat kon hij anders doen?

Hij was voor het raam gaan staan. Vanuit de aangrenzende kamer, waar de computer van zijn vader normaal stond, klonk de geruststellende stem van de verpleegkundige. Ze sprak alsof ze het tegen een klein kind had. Het leek alsof er niemand antwoordde. Hij hoorde haar nauwelijks, en hij stelde zich voor hoe ze doodziek in bed lag.

De lege weilanden, die de kilte van deze novemberdag nog eens lijken te onderstrepen, glijden aan hem voorbij zonder dat hij er iets van ziet. Het meisje tegenover hem kijkt hem een paar maal verstolen aan, maar hij merkt het niet.

Ja, hij had werkelijk gedacht dat zijn moeder doodziek, verzwakt en vol zelfverwijt in bed zou liggen. Hij had zich afgevraagd wat hij moest zeggen als ze hem om vergeving zou vragen. Hij wist niet of hij dat wel zou kunnen. Hij had van alles verwacht, maar niet haar cynische begroeting: 'Zo, kom jij genieten van de effecten van mijn alcoholmisbruik?' had ze hem verwelkomd, en dat had hem zo overrompeld dat hij geen weerwoord vond.

Ze zat rechtop, in een onberispelijk, roze gebloemd nachthemd, dat net zo goed als zomerjurk dienst zou kunnen doen. Haar gezicht was perfect opgemaakt, haar haren waren opgestoken. Chemotherapie had ze direct afgewezen als middel om haar leven te verlengen. 'Ik weiger me doodziek en kaal te laten maken, zonder dat ik daar mijn leven voor terugkrijg,' had ze direct laten weten.

Nu zat ze in bed en alleen de gele kleur van haar oogwit en huid lieten zien hoe ernstig haar ziekte was. Haar handen verrieden haar nervositeit. Ze fladderden als vogeltjes over het dekbed dat ze tot boven haar gezwollen buik had opgetrokken. 'Hoe lang is het geleden dat ik je heb gezien?' was ze onbarmhartig doorgegaan. 'Jij wilde toch afstand houden? Hoe komt het dan dat je er nu bent?'

Ze was afgevallen, maar de blik in haar ogen straalde

strijdlust uit. Ze zou hem niet om vergeving vragen. Hij hoefde er niet eens over na te denken, daar was hij al zeker van.

Hij voelde zich klein. Haar stem klonk niet zo zwak als hij verwacht had. Ze leek sterk, veel sterker dan haar ziekte deed vermoeden. 'Je hoopte waarschijnlijk dat ik je nu mijn excuus zou aanbieden voor alles wat ik je in het leven heb aangedaan? Je meende dat dit het moment was om me op m'n knieën te krijgen?' Ze leek dwars door hem heen te kijken. 'Misschien moet jij eerst maar eens laten zien dat jij het er in het leven beter van afbrengt.'

Die woorden waren hem bezig blijven houden, ook nadat ze hem de keren daarna, als hij haar samen met Lia bezocht, heel anders had benaderd. Op een van haar laatste dagen had ze hem toch om vergeving gevraagd. 'Er mag niets meer tussen ons staan.' Op dat moment klonk haar stem werkelijk zwak. Nu was ze de vrouw die hij tijdens zijn eerste bezoek had verwacht.

'Wil je me vergeven?' Nauwelijks hoorbaar had ze die woorden uitgesproken. De priemende blik van Lia had hem ervan overtuigd dat hij niet anders kon dan knikken. Het was zijn laatste gesprek met haar geweest. De dag erna was ze in haar slaap overleden.

De trein stopt, met een schok schiet hij rechtop en kijkt recht in het gezicht van het meisje tegenover hem. Ze kijkt vermaakt. 'Jij was ver weg,' hoort hij haar zeggen, maar hij antwoordt niet. Als hij zijn tas om de schouder heeft gehangen, beent hij met grote passen de trein uit.

Die nacht kan hij niet slapen. Hoe meer hij zich voorhoudt dat hij een punt achter het verleden wil zetten, hoe meer het hem bezighoudt. Tijdens haar leven heeft hij zijn moeder op afstand kunnen houden, nu ze overleden is, dringt ze zich in volle hevigheid aan hem op. Hij ziet zichzelf als kleine jongen. Ze bracht hem naar school en troostte hem toen hij moest huilen. Na schooltijd stond ze hem altijd op te wachten en aan haar hand liep hij naar huis. Ze vroeg hoe het op school was geweest en wat hij had gedaan. Als hij wilde, mocht hij vriendjes meenemen. Ze bouwden hutten met de kussens van de bank. Zijn moeder vond alles goed. Hij herinnert zich hoe ze met z'n drieën aan tafel zaten, zijn moeder, Felia en hij. Nu pas dringt het tot hem door dat zijn vader er heel vaak niet was. Zijn vader werkte, en werkte, en werkte. Niemand vond het raar dat hij meer in het ziekenhuis verbleef dan thuis. Zijn vader was chirurg. Yannick vertelde het graag op school. Hij was trots op zijn vader, maar hij kende hem nauwelijks.

Tijdens de vakanties kwam zijn vader in beeld en in zijn beleving waren ze dan een gelukkig gezin.

Vreemd, dat die gedachten zich nu zo aan hem opdringen. Ze maken hem onrustig, net zoals de opmerking van zijn moeder die in zijn hoofd is blijven hangen: 'Misschien moet jij eerst maar eens laten zien dat jij het er in het leven beter van afbrengt.'

Met een zucht stapt hij uit bed, hij schenkt zichzelf een glas melk in dat hij even in de magnetron opwarmt. Aan de keukentafel probeert hij zijn gedachten af te leiden met een van zijn studieboeken. Langzaam drinkt hij van de melk. Het is of hij daardoor weer helder kan denken. Hij moet een punt achter deze episode in zijn leven zetten en dat kan hij niet als hij steeds weer geconfronteerd wordt met het verleden. Dat verleden wordt levend gehouden door zijn vader, door Felia en ook door Lia. Misschien moet hij pijnlijke maatregelen nemen waardoor hij uiteindelijk wel zijn rust terug zal krijgen. Niemand zal hem begrijpen, maar hij kan niet anders. Deze nacht vertelt hem dat er maar één mogelijkheid is om zijn leven weer op te pakken. Als hij in bed rolt, slaapt hij vrijwel direct in.

3

Ze had het zich anders voorgesteld. Lia Blankvoort drukt het rode knopje van haar telefoon in. Ze had haar auto even naar de kant gelaveerd toen het riedeltje van haar telefoon maar bleef aanhouden en ze het nummer van Yannick had ontdekt. Nu zou ze willen dat ze haar telefoon had genegeerd. Ze voelt tranen van teleurstelling opwellen. Waarom heeft ze niet direct gezegd dat ze het zo niet wilde? Ze zouden toch best nog een poosje kunnen wachten met hun huwelijk? Ze hoefde echt geen groot feest, maar ze had gedroomd van een mooie jurk en vrienden en familieleden die deze grote dag met hen mee zouden vieren. Het plan van Yannick viel rauw op haar dak. Zo snel mogelijk trouwen met alleen haar beste vriendin en zijn beste vriend als getuige. 'Ik wil niet langer wachten,' had hij zijn plan toegelicht. 'Ik wil niet meer dat je 's avonds weggaat. Ik heb je nodig.'

Daar kon zij toch niet tegen inbrengen dat ze het zo graag anders wilde? Wat deed een mooie jurk er dan toe? De man van wie ze met hart en ziel houdt, heeft haar nodig. Ze veegt haar tranen weg en haalt diep adem. Het was haar keuze. Zij was zo principieel dat ze eerst wilde trouwen voordat ze met Yannick het bed wilde delen. Vriendinnen lachten haar uit, Yannick probeerde het te begrijpen, maar dat lukte niet altijd. De keuze is nu aan haar. Aan haar, en aan niemand anders. Ze start de auto, vergewist zich ervan dat er geen verkeer aankomt, en vervolgt haar weg.

Coby kijkt op haar horloge. Ze heeft nog tien minuten voordat de bus vertrekt. Zenuwachtig hupt ze van haar ene been op het andere, maar dan ziet ze Almanzo eindelijk komen. Haar hart springt op, ze wil op hem toe lopen, maar beheerst zich op het laatste moment. Hij zou het kinderachtig kunnen vinden. Gretig drinkt ze zijn beeld in, zijn rossige haar dat in een staart op zijn rug hang, de lange, zwarte leren jas waaronder zijn lichte sportschoenen dissoneren. Almanzo loopt met lange, trage passen, alsof hij geen enkele haast heeft om bij haar te komen. Ongeduldig wacht ze tot hij eindelijk voor haar staat.

'Wat ben je laat.'

Ze zou willen dat hij nu zijn armen om haar heen zou slaan, dat hij op de een of andere wijze zou laten merken dat hij ook naar haar verlangd heeft.

'Ik heb meer te doen.' Hij grijnst, kust haar licht op de wang. 'Jij bent ook altijd zo ongedurig. Ik zat midden in een creatief proces. Het is moeilijk om me daaruit los te rukken, dat zou je nu inmiddels eens moeten begrijpen, kleine Jacoba van me.'

'Noem me geen Jacoba.' Ze is teleurgesteld, kijkt nog eens op haar horloge. Nog zeven minuten zijn haar gebleven en hoelang duurt het dan voor ze hem weerziet?

'Wil je niet weten waar ik mee bezig ben?' informeert hij.

Ze haalt haar schouders op. 'We hebben maar zo weinig tijd samen. Mijn bus komt zo.'

Het is net alsof hij haar niet hoort. 'Het wordt een heel groot werk. Er moet over gesproken worden, weet je. Dat is belangrijk voor een kunstenaar, dat er over je gesproken wordt.'

'Kan ik niet gewoon bij je komen wonen?' Zijn woorden komen ook niet bij haar aan. 'Mijn vader wil dat ik op vrijdagavond thuisblijf en dat ik dan weer in die rotwinkel van hem aan de gang ga.'

'We hebben het hier al zo vaak over gehad.' Hij zucht demonstratief. 'Af en toe lijk je echt nog een klein meisje. Je weet toch dat ik jou er niet bij kan onderhouden. Kunstenaars hebben het nou eenmaal niet breed. Misschien als je wat ouder bent.' Hij kijkt naar haar alsof ze echt een klein meisje is. Het voelt vernederend. De bus rijdt het plein op, vanuit haar ooghoek ziet ze mensen naar binnen gaan als de deuren geopend zijn.

'Liefje...' zegt Almanzo zachtjes. 'Onze tijd komt nog wel. Als ik dit werk klaar heb, weet ik zeker dat ik naam zal maken binnen de kunstwereld. Dan zal iedereen weten wie Almanzo is. Geduld, liefje, geduld.'

Ze wil er iets tegen inbrengen, maar hij drukt zijn lippen op de hare en dat maakt haar weerloos. Zijn geur, zijn lange vingers die haar gezicht strelen en dan zijn glimlach. 'We houden toch van elkaar?'

Het is ineens niet zo erg meer dat hij niet begrijpt hoe graag ze het huis uit wil. Het hindert niet dat hij maar niet wil horen hoe moeilijk ze het thuis heeft en dat hij geen gelegenheid onbenut laat om haar op hun leeftijdsverschil van veertien jaar te wijzen. 'Almanzo,' fluistert ze, en voor de zoveelste keer dringt het tot haar door hoe blij ze mag zijn dat juist hij van haar houdt. De bus trekt alweer op als ze eindelijk tot zichzelf komt, maar de chauffeur is zo goedwillend om toch te stoppen als ze erachteraan rent.

'Drukke bezigheden zeker...' De man grijnst, trekt dan snel op zodat ze bijna languit in het gangpad ligt. Als ze naar buiten kijkt, ziet ze dat Almanzo niet heeft gewacht. Hij loopt over het plein en kijkt niet meer om.

Albert Kouwenaar knipt het licht in de winkel uit. Hij houdt van dit moment van de dag en tracht het altijd nog even te rekken. Siggy, zijn enige medewerkster in de winkel, is eindelijk vertrokken. Hij haalt diep adem, waardoor de rust van dit moment zijn lichaam binnendringt. Hij ontspant, kijkt rond in de ruimte die eerst zijn droom was en daarna zijn leven is geworden. De emmers staan nu leeg tegen de kant, op de stellage langs de muur staan bloempotten en vazen keurig op kleur gerangschikt. Soms bespringt hem ineens de vraag of dit het allemaal waard is geweest.

Wat wilde hij destijds graag een eigen bloemenzaak, en wat leek het hem heerlijk om ergens in een klein dorp te wonen, ver van Amsterdam. In Amsterdam loerde het gevaar voor zijn dochter Jacoba op elke hoek. In dit dorp waren op dat gebied geen gevaren, of had hij dat toen verkeerd gezien? Zorgvuldig draait hij de deur op slot. Nog even kijkt hij omhoog naar het verlichte bord boven de deur met daarop in grote, kleurige letters: 'Alberts Flowertheek'. Daarna steekt hij een sigaret op en loopt in gedachten verzonken door het dorp, waarvan hij had gemeend dat het een thuis voor zijn gezin zou worden. Had hij moeten zien dat Gerda hier niet zou kunnen aarden? Had hij gedroomd toen hij meende dat Jacoba vriendschap zou sluiten met de jeugd uit dit dorp?

Overvloedig licht stroomt uit de huizen naar buiten. Zo kort na sinterklaas ziet hij zelfs al kerstbomen. Hij heeft met Jacoba niets aan pakjesavond gedaan. Jacoba wilde niet. Ze had ook helemaal geen zin in Kerst, had ze gezegd. Jacoba had nergens zin in.

Hij zucht. Zijn dochter is zijn grootste zorg na de scheiding van Gerda. Hoe had hij ook kunnen verwachten dat die zomaar zonder Jacoba weg zou gaan? Dat zei misschien wel iets over haar egoïsme. Een goede moeder vecht voor haar kind. Gerda dacht alleen aan zichzelf.

Hij zat er maar mee. Naast de winkel hield ook Jacoba hem tegenwoordig vaak wakker. Als dat kind hem zo nu en dan maar eens ter wille zou zijn, maar die winkel was een bron van ruzie. Zo was het eerst met Gerda geweest, zo is het nu met Jacoba. Waarom wil ze ook altijd weg? In het dorp is toch ook genoeg voor jongeren te doen? Wat zoekt ze toch altijd in Zwartburg? Zou ze die kunstenaar daar soms zien?

Hij was geschrokken toen ze hem van die kerel vertelde. Een kunstenaar, en dan ook nog een die veel ouder dan Jacoba was. Dat was vragen om moeilijkheden. Op die momenten miste hij een vrouw die met hem meedacht. Volgens Jacoba reageerde hij overspannen. Ze wilde, net als elke jonge meid, gewoon fatsoenlijk uitgaan. Door de week zat ze 'begraven in dit gat' zoals ze het zelf uitdrukte, in het weekend wilde ze genieten. Doet hij het allemaal verkeerd? Ze is achttien, voor de wet volwassen. Moet hij haar vrijer laten? Moet hij haar vertrouwen? Hij worstelt met zoveel vragen.

Vanuit zijn woning pinkelt een lichtje naar buiten. Hij ziet

Jacoba op de bank zitten, verdiept in iets wat zich op televisie afspeelt. Toch is het prettig dat ze er is. Hij moet er niet aan denken om elke dag in een leeg huis te moeten komen. De vraag is hoelang ze hier nog blijft. Zodra dat mogelijk is, zal ze het dorp de rug toekeren, daar is hij van overtuigd. Nu ze ouder wordt, begint ze steeds meer op Gerda te lijken, zowel uiterlijk als innerlijk.

Hij gooit zijn peuk op de grond, zet zijn hak erop en draait tot de sigaret verpulverd op de stoep blijft liggen.

Het is stil op straat, de stilte van de nacht. Lia zit op haar knieën op de bank voor het raam van haar ouderlijk huis. Haar kin rust op haar armen die ze op de rugleuning van de leren bank heeft gelegd. Voor het raam dansen fijne sneeuwvlokjes die al voor een kleine witte laag op de auto's en de straat hebben gezorgd. De straatlantaarn voor het huis zorgt ervoor dat het in de kamer niet helemaal donker is. Het is prettig om naar die vlokjes te kijken. Ze leiden haar af van de sombere gedachten die haar in bed plaagden. Af en toe nipt ze van haar glaasje water dat ze voor zich in de vensterbank heeft gezet. Er rijdt een politieauto door de straat. Ze kan het hoofd van de vrouwelijke agente op de bijrijdersplaats goed onderscheiden. De vrouw praat tegen de bestuurder die Lia niet kan zien. Traag rijdt de auto verder.

Ze rilt en trekt haar badjas nog vaster om zich heen, maar het voelt alsof ze niet meer warm zal worden. Misschien moet ze toch maar weer naar bed gaan. Boven piept een deur. Even later knipt haar moeder een lichtje aan. 'Waarom zit je in het donker? Ik hoorde je een uur geleden al naar beneden gaan. Je had toch net zo goed even...'

'Ik vond het prettig in het donker.' Lia heeft zich omgedraaid. Haar moeder knoopt haar onflatteuze, hardroze duster dicht. Met dikke slaapogen neemt ze Lia op, ze wrijft nadenkend door haar warrige haar. 'Het is hier kil. Ben jij niet helemaal verkleumd?'

Lia haalt haar schouders op.

'Ik meende vanavond onder het eten al dat je iets dwarszat,' vervolgt haar moeder. Ze gaapt verstolen achter haar hand. 'Zal ik een kopje thee voor ons tweeën maken? Als je even iets warms drinkt, kun je vaak beter slapen.'

Haar moeder houdt niet van stilte. Terwijl ze water kookt in de open keuken, praat ze aan één stuk door. 'Vanavond kon ik de slaap ook niet zo goed vatten. Het is toch een hele boodschap dat onze oudste dochter binnenkort gaat trouwen. Gek hè, dan komen er weer allerlei herinneringen boven. Jouw geboorte, het kleine mensje dat je toen was. Je was als kind al echt de oudste.'

Gelaten laat Lia het hele verhaal over zich heen komen.

'Zo, een lekker kopje rustgevende kruidenthee.' Tevreden kruipt haar moeder in het andere hoekje van de bank. 'Ik kan me goed voorstellen dat je het toch wel wat moeilijk vindt om straks zo sober te trouwen. Papa en ik moesten er ook aan wennen. De trouwdag van je oudste dochter zie je als ouders toch als een groots gebeuren. Je zussen waren ook teleurgesteld. Vooral Mandy, die had zichzelf al als bruidsmeisje gezien.'

Lia glimlacht. Ze weet alles van de teleurstelling van haar jongste zusje af. Tijdens het eten heeft ze die niet onder stoelen of banken gestoken.

'Het gaat toch niet om de manier waarop je trouwt?' merkt ze nu zonder veel overtuiging op. 'Ik had me dat ook anders voorgesteld, maar ik kan ermee leven. Het scheelt in ieder geval veel geld.'

'Het levert je ook veel mooie herinneringen op.'

'Zonder die herinneringen kan ik leven. Ik vind het veel moeilijker dat Yannick geen contact meer met zijn vader en Felia wil.'

'Sinds wanneer is dat?'

'Hij heeft hen vanmiddag gebeld.'

'Zomaar? Zonder dat met jou te overleggen? En Sierd en Felia hebben hem toch niets gedaan?'

'Hij heeft even rust nodig, zegt hij, en daarvoor moet hij

afstand van zijn verleden nemen en alles wat daarbij hoort.'

'Ik begrijp er niets van. Bodil is overleden. Ze heeft het jullie allemaal niet makkelijk gemaakt, maar ze is er niet meer. Dan kan hij er nu toch een punt achter zetten?'

'Nee, dat kan hij niet!' Ze was helemaal niet van plan om het voor Yannick op te nemen, maar nu haar moeder hardop uitspreekt wat zij heeft gedacht, kan ze het niet hebben. 'Zijn vader en Felia staan er anders in,' probeert ze haar uitval te verklaren. 'Ze kunnen Yannick niet begrijpen. Hij voelde zich zo vaak door zijn moeder in de steek gelaten.'

'En kun jij hem wel begrijpen?'

'Ik probeer het. Gelukkig heeft Yannick er geen problemen mee als ik wel contact met Felia en Sierd blijf houden.'

'Ik zou nog eens over je huwelijk nadenken,' hoort ze haar moeder zeggen. 'Ik vind het raar.'

'Waarom? Onze liefde voor elkaar verandert toch niet?'

'Maar dat hij geen contact meer met Sierd en Felia wil... Die Felia is zo'n schat van een meid. Ik heb wel eens gedacht dat ze nooit verkering zou krijgen omdat ze altijd voor Bodil zorgde.'

'En nou heeft ze Simon.' Lia glimlacht. 'Ze heeft eens verteld dat ze hem een watje vond omdat hij in het zorgcentrum werkte waar haar oma woonde. Het is maar goed dat ze er anders over is gaan denken. Simon is een geweldige man.'

'Je hebt het getroffen met je schoonfamilie, met je schoonvader net zo goed. Ik hoop dat Sierd het verleden eindelijk eens los kan laten. Het is voor mij bijna onvoorstelbaar dat hij altijd van Bodil is blijven houden. Volgens mij hoopte hij elke keer weer dat ze zou kunnen stoppen met drinken.'

Lia heeft haar handen rond haar kopje geslagen. De warmte trekt door haar heen. Af en toe neemt ze een slok. 'Yannick drinkt gelukkig maar heel matig. Hij is doodsbang om zoals zijn moeder te worden. Aangezien de vader van Bodil ook alcoholist was, is dat gevaar aanwezig.'

'Het heeft in hun familie heel veel kapotgemaakt,' weet haar moeder. Ze haalt diep adem. 'Misschien moet jij toch eens goed met Yannick praten. Ik snap best dat hij het verleden achter zich wil laten. Ik begrijp ook dat voor hem zo'n grote bruiloft niet belangrijk is, maar hij moet ook met jou rekening houden. Jouw mening is net zo belangrijk als die van hem. Praat er nog eens rustig met hem over. Over een jaar denkt hij er misschien anders over. Het zou toch fijn zijn als de hele familie bij de mooiste dag van je leven aanwezig is? Het voelt toch helemaal niet goed als Felia en Sierd ontbreken?'

'Yannick heeft me op dit moment nodig,' werpt Lia tegen.

'Je bent er toch ook elke dag voor hem?'

'Ik ga elke avond weer naar huis.'

'Hij wil je gewoon ook in bed hebben.'

Lia werpt haar moeder een vernietigende blik toe. 'Hij wil gewoon dat ik zijn vrouw word, en dat wil ik ook.' Ze zegt het zo stellig dat haar moeder zwijgend haar laatste slok thee uit het kopje drinkt.

Yannick smijt de volgende dag na thuiskomst zijn boekentas in een hoek van de hal en loopt naar de keuken waar Lia bij het fornuis staat. Ze kookt graag, straks dekt ze de tafel en de kleine kerstboom die in een hoek van de kamer staat, heeft hij ook aan haar te danken. Als Lia er is, lijkt zijn huis warmer, voelt hij zich er meer thuis. Lia is feitelijk alles wat zijn moeder niet was.

'Heb je erover nagedacht?' begroet hij haar. Plagend geeft hij haar een kus in haar nek. Ze giechelt, draait zich om en slaat haar armen rond zijn hals.

'Ik heb vannacht heel slecht geslapen.'

'Zie je er zo tegenop om met me te trouwen?'

'Het gaat om de manier waarop, dat weet je best.'

'Ik weet ook wel dat je je dat anders hebt voorgesteld.' Hij kijkt in haar ogen die een bijzondere groene kleur hebben. 'Maar ik vroeg me af hoe belangrijk dat is. Gaat het er niet om dat we graag voor altijd bij elkaar willen zijn?'

De woorden van haar moeder schieten haar te binnen:

'Jouw mening is net zo belangrijk als die van hem.' Ze zou hem willen zeggen wat ze voelt, en hoe die gevoelens haar verwarren. Zijn ogen haken afwachtend in de hare, zijn vinger glijdt langs haar wang. 'Daar gaat het toch om?' fluistert hij, terwijl zijn gezicht steeds dichterbij komt en zijn lippen bijna de hare raken.

Ze kan niet anders dan knikken. Als hij haar kust, heeft ze echt het gevoel dat het zo goed is.

De bus houdt stil bij de bushalte. Coby trekt de rits van haar korte jasje van imitatiebont omhoog en stapt de kou in. Boven haar strooit het carillon van de Grote toren in Zwartburg vrolijke kerstklanken uit. Onder haar voeten knerpt de sneeuw, die op de straten van Zwartburg allang tot blubber is gereden.

Ze blijft even staan en tikt op haar mobiel het nummer van Almanzo in. Geërgerd drukt ze de rode knop in als zijn voicemail haar voor de zoveelste maal deze dag vertelt dat hij haar niet te woord kan staan. Al die keren heeft ze een dringende boodschap ingesproken, maar hij heeft niet gereageerd. Zou hij echt menen dat ze zich zo laat afschepen?

Met grote, woedende stappen loopt ze het busplein af in de richting van Almanzo's woning. Het carillon zwijgt, terwijl zij door de straten loopt en binnenkijkt in de verlichte woningen. In deze straten is niets te merken van de koopavond die op het busplein nog voor een opgewekte bedrijvigheid zorgde. Hier lijkt niemand zich buiten op te houden, overal ziet ze mensen rondom de televisie zitten, in de meeste huiskamers staat inmiddels een kerstboom. Het is net of al die taferelen haar ineens bepalen bij haar eigen eenzaamheid. Hier loopt ze nu, terwijl het geschreeuw van haar vader nog in haar oren naklinkt. 'Jij gaat vanavond niet weg! Jij hoort in de winkel te helpen. Ik verbied het je!' Daarna had hij allerlei dreigementen geuit waarvan ze zeker wist dat hij ze niet ten uitvoer zou brengen.

Echt getroffen had ze het niet met haar ouders. Een moeder die meer belangstelling voor haar nieuwe liefde heeft dan voor haar, en een vader die haar als goedkope arbeidskracht ziet.

Ze kijkt niet langer de huizen binnen, maar houdt het trottoir in de gaten dat hier en daar glad is door de sneeuw. Almanzo heeft de hele week niets van zich laten horen. Ze begrijpt best dat hij geconcentreerd bezig moet zijn met zijn project, maar hij houdt toch van haar? Als je van iemand houdt, wil je toch samen zijn? Of begrijpt ze dat nou verkeerd? Als ze dat aan hem vraagt, verwijt hij haar dat ze zich kinderachtig opstelt en dat ze misschien gewoon te jong is om het te begrijpen. Het is niet eerlijk dat hij steeds weer over haar leeftijd begint. Ze heeft in haar leven genoeg meegemaakt om er volwassen in te staan.

Van verre ziet ze zijn huis al. Het springt eruit in het rijtje door de kunstobjecten die de kleine voortuin in beslag nemen.

In de kamer is het donker, maar vanuit de schuur, die hij als atelier heeft ingericht, straalt licht naar buiten.

Coby belt aan en wacht gespannen af. Meer dan eens heeft ze om een sleutel gevraagd, maar dat heeft hij altijd afgewimpeld. 'Ik wil niet dat er iemand onverwachts in mijn atelier staat, zelfs niet als jij dat bent.'

Coby wipt van haar ene voet op de andere, terwijl haar vinger nog eens langdurig op de bel drukt. Er komt geen reactie. Tegen beter weten in loopt ze om het huizenblok heen tot ze bij de achteringang van Almanzo's huis komt. Ze rukt aan de deur van de schutting. Haar vermoeden wordt bewaarheid: Almanzo heeft daar zorgvuldig de knip voor geschoven. Teleurstelling en woede vechten om voorrang en vinden een uitweg in haar vuisten die op de knalrode deur beginnen te bonken. 'Ik ga niet weg!' schreeuwt ze. 'Ik ga echt niet weg!' Af en toe slaat haar stem over van verontwaardiging, terwijl haar vuisten doorbonken en haar woede zulke vormen aanneemt dat ze de pijn niet voelt. Als de schuif wordt weggeschoven, heeft ze dat niet eerder in de gaten dan als de deur geopend wordt en ze in Almanzo's armen tuimelt.

Hij duwt haar van zich af. 'Ben je gek geworden?'

Beteuterd staart ze hem aan en ze voelt zich ineens het kleine meisje waarvoor hij haar altijd houdt. Ruw trekt hij haar aan haar arm naar binnen en smijt de deur achter haar dicht. Als hij de grendel weer teruggeschoven heeft, trekt hij haar het atelier in. Wanneer ze in zijn ogen kijkt, voelt ze ineens iets van angst.

Ze heeft dorst. Coby bevochtigt haar lippen, maar durft Almanzo niet om water te vragen. Zwijgend staart ze naar hem, terwijl hij met forse streken over het enorme doek penseelt. Vanaf het moment dat ze het atelier binnen zijn gekomen, heeft hij geen woord gesproken. Af en toe heeft ze het geprobeerd. 'Waarom heb je me niet gebeld? Je hebt mijn berichten op je voicemail toch wel gehoord? Je had een sms kunnen sturen. Waarom deed je niet open?' Elke vraag had hem steevast een soort gegrom ontlokt dat haar direct weer het zwijgen oplegde.

'Barst!' hoort ze hem dan ineens zeggen, terwijl hij de kwast in een hoek slingert. Hij draait zich om en komt op haar af. 'Wat moet ik toch met je? Wat wil jij eigenlijk van mij?'

Ze staart naar het doek met de sombere verfstreken. Denkt hij werkelijk dat hij daarmee kan doorbreken?

'Nou, wat wil je?' dringt Almanzo aan.

Ze haalt haar schouders op.

'Ik ben je vader niet en ik ben niet van plan om je in mijn huis op te nemen en je te onderhouden.'

'Laat me vannacht bij je slapen,' vraagt ze zwakjes. 'Eén nacht maar...'

'Ik ben geen kinderoppas!'

Ze knippert met haar ogen. 'Je houdt toch van me?'

Hij zwijgt, loopt naar haar toe en grijpt haar schouders. 'Wat denk je nu zelf? Ik ben tweeëndertig, jij bent achttien.

Dat is toch geen verhouding?'

'Liefde heeft toch niets met leeftijd te maken?'

'Je denkt nog zo kinderlijk romantisch.' Hij zucht en laat haar schouders los. 'Weet je wat het is, kleintje... Je snapt nog helemaal niets van het leven, je begrijpt helemaal niets van kunst. Ik heb je meer dan eens gezegd dat ik je niet kan en wil onderhouden. Zorg maar dat je zelf aan het werk gaat.'

'Mijn vader weigert me buitenshuis te laten werken,' brengt ze ertegen in. 'Als ik toch wil werken, dan kan ik dat beter in zijn zaak doen. Hij zegt dat ik bij hem ook genoeg kan verdienen, maar in de praktijk krijg ik bijna niets.'

'Dan ga je die vader van je maar eens vertellen dat je er genoeg van hebt en dat je een normaal loon wilt. Die uitbuiter met z'n ellendige bloemenkraam.'

Coby perst haar lippen op elkaar.

'Je verbeeldt je een vrouw te zijn, maar je bent een kind,' gaat Almanzo onbarmhartig door. 'Ik zal het je nu eens en voor altijd zeggen: je bent te jong. Straks ga je hier de deur uit en dan wil ik je niet meer terugzien.'

'Ook niet als ik zelf geld heb?'

Hij knijpt een oog dicht en houdt zijn hoofd schuin. 'Jij en geld? Dat wil ik wel eens zien.' Met grote stappen beent hij langs haar heen en opent de deur van het atelier. 'Het was me een waar genoegen, maar nu scheiden onze wegen.'

Ze schudt haar hoofd.

'Begrijp je het nu weer niet? Moet ik nog duidelijker zijn? Ik ben niet langer van plan voor kinderopvang te spelen. Jij verdwijnt en ik ga weer lekker aan het werk.'

'Met dat stomme schilderij zeker.'

'Ik wist wel dat je het niet zou begrijpen,' zegt hij gespeeld beminnelijk, maar zijn ogen knipperen nerveus.

'Je moet echt niet denken dat je met zoiets in de kunstwereld zult kunnen doorbreken,' gaat ze door. 'Dit slaat echt helemaal nergens op!'

'Het lijkt me goed dat je nu verdwijnt.' Hij wil haar arm vastgrijpen, maar ze rukt zich los.

'Blijf van me af, ik ga heus wel. Ik heb meer verdiend dan zo'n tweederangsschilder. Je hebt nog nooit iets gemaakt dat de moeite waard was. Alleen je vrienden kopen zo nu en dan wat en weet je waarom? Omdat ze je zielig vinden. Dat is het goede woord. Je bent zielig!'

Ze stort zich langs hem heen naar buiten, weet de knip van de schuttingdeur weg te schuiven en verdwijnt via het donkere pad dat achter het huizenblok langsloopt. Met elke stap die ze zet, neemt haar eenzaamheid toe.

4

'Getrouwd.' Het woord blijft maar door haar hoofd spelen, terwijl ze af en toe een hapje neemt van de heerlijke tournedos op haar bord, en haar aandacht bij het gesprek tracht te houden. Yannick heeft water bij de wijn gedaan. Naast de getuigen waren ook haar ouders en zusjes aanwezig bij de voltrekking van hun huwelijk. Nu vieren ze het heugelijke feit met een etentje in een gerenommeerd restaurant.

'Getrouwd.' Ze kijkt naar Yannick die een keurig donkerbruin kostuum draagt. Hij lijkt op zijn gemak, werpt af en toe een lange, intense blik in haar richting. Met die blik lijkt hij haar te vragen of ze gelukkig is. Ze knikt hem geruststellend toe.

Geanimeerde gesprekken vervolgen hun weg en niemand lijkt haar stilte waar te nemen. Zou Yannick het vandaag net zo moeilijk met de afwezigheid van zijn familieleden hebben als zij? Als ze ziet hoe opgewekt hij met haar ouders praat, lijkt het er niet op.

Gisteren nog heeft zij Sierd opgezocht. Het verwonderde haar dat juist hij begrip toont voor zijn zoon. 'Hij heeft het even nodig, Lia. Gun hem de tijd en steun hem, als je kunt. Ik heb fouten gemaakt. Te vaak ben ik vergeten wat het voor hem betekende dat ik Bodil niet los kon laten, maar ook geen normaal huwelijk met haar voerde. Yannick leek zich altijd wel te redden, maar het is goed mogelijk dat hij meer moeite met de alcoholafhankelijkheid van zijn moeder had dan ik heb begrepen.'

Felia reageerde niet veel anders, al gaf ze meer dan eens aan dat ze haar broer miste. 'Ik heb maar één broer. Het is moeilijk te begrijpen dat die ene broer me dan ook nog buitensluit.'

'Yannick heeft me beloofd dat we over een poos in de kerk trouwen,' had Lia hoopvol aangevoerd. 'Ik vermoed dat hij dan toch wel heel graag zijn naaste familieleden erbij wil hebben.'

Nu ze naar Yannick kijkt, vraagt ze zich ineens af of het ooit zover zal komen. Opnieuw vangt hij haar blik, maar het lukt haar nu niet om geruststellend te glimlachen.

'Getrouwd.' Hetzelfde woord houdt Sierd Bergsma bezig als hij op z'n horloge kijkt en constateert dat de huwelijksvoltrekking van zijn zoon en schoondochter inmiddels wel achter de rug zal zijn. Hij staat op en gaat voor het raam van de spreekkamer staan. Op de parkeerplaats van het ziekenhuis is het nog rustig op dit tijdstip. Voor de deur staat een vrouw naast een infuusstandaard een sigaret te roken. Hij verwondert zich over dat tafereel. Over de knalrode badjas draagt ze een gewatteerd winterjack waarvan ze de capuchon heeft opgezet. Als ze uitblaast, wordt de rook meegevoerd door de kille wind. Maart is op de helft, maar de naweeën van de winter zijn duidelijk waarneembaar. Nog heel even weet de rokende vrouw zijn aandacht vast te houden. Dan is hij terug bij het huwelijk van zijn zoon met Lia. Elke seconde heeft hij vandaag in gedachten meebeleefd. Dat heeft Yannick hem toch niet kunnen verbieden.

'Pa, ik weet niet of ik van je mag verwachten dat je begrip toont, maar zelfs zonder jouw begrip kan ik niet anders dan een poosje afstand van je nemen, van jou en Felia.' Dat waren de woorden die Yannick al heel kort na het overlijden van Bodil had gesproken. 'Het gaat me niet om schuld,' had zijn zoon gezegd. 'Het gaat erom dat sommige dingen anders hadden moeten gaan en dat ik daar de dupe van ben geworden. Ik heb er moeite mee dat ik niet aan mijn moeder kan denken zonder bitterheid. Jij en Felia zijn te nauw met haar verbonden. Ik wil jullie allebei een poos niet zien.'

'Wat moet ik me bij een poos voorstellen?' had hij nog geïnformeerd.

'Ik kan er geen richtlijn voor geven. Misschien een maand, drie maanden, een jaar of langer?'

'Misschien nooit meer?' had hij zelf ingevuld.

'Dat denk ik niet,' had Yannick gezegd, maar het klonk

niet overtuigend en juist daarom had bij hem het idee postgevat dat 'nooit meer' helemaal niet ondenkbaar was. In die overtuiging was hij alleen nog maar gesterkt doordat hij en Felia niet werden uitgenodigd bij het huwelijk van Yannick en Lia.

'Getrouwd.' Het woord blijft zich maar herhalen en juist nu mist hij Bodil. Met haar zou hij zijn teleurstelling willen delen. Zij zou hem helemaal begrijpen.

De vrouw is uitgerookt. Ze sleept haar standaard in de richting van de ingang. Hij vermant zich. De volgende patiënt wacht, en die heeft geen boodschap aan zijn beslommeringen. Met een zucht staat hij op om naar de wachtkamer te gaan.

Coby zit in de bus en staart naar buiten. De omgeving heeft geen verrassingen meer voor haar in petto sinds ze dagelijks de afstand van huis naar school en andersom per bus aflegt. Een fletse zon schijnt over de verlaten weilanden en de grauwe, lege akkers. De zon verwarmt niet.

Onvoorstelbaar dat de maanden gewoon voorbij zijn gegaan en dat ze ook zonder Almanzo in staat is gebleken om verder te leven. Hoewel, is dit leven?

Er is niets waarover ze zich nog blij maakt of opwindt. Ze voelt geen verdriet meer of woede. Daarvoor in de plaats is de leegte gekomen. Een toekomst zonder perspectief. Hoe moet ze verder zonder Almanzo?

Ze heeft die angstaanjagende leegte trachten op te vullen door hem te bellen en te mailen. Zelfs heeft ze hem brieven geschreven. Op haar telefoontjes reageerde hij niet, zelfs niet nadat ze z'n hele voicemailbox had volgepraat, zijn e-mails kreeg ze na een paar keer terug met de melding dat zijn mailadres niet meer klopte, en de brieven werden zonder pardon retour gestuurd. Ze maakt geen deel meer uit van zijn leven, dat had ze misschien wel nooit gedaan. Langzamerhand ontdekte ze zijn egoïsme en zijn liefdeloosheid die hij verpakte in mooie woorden. Het is net alsof ze in de drie maanden die ze hem nu niet meer heeft gezien, de fraaie verpakking langzaam heeft afgestroopt en eindelijk opmerkt dat er maar heel weinig overbleef. Aan haar verdriet doet het niets af.

In die maanden heeft ze haar vader zonder morren ook op vrijdagavond in de winkel geholpen, en na nog een paar keer op zaterdag met Astrid te zijn mee geweest, heeft ze daar vriendelijk voor bedankt. In het café nam haar gevoel van leegte en vervreemding alleen maar toe. Astrid had het niet begrepen. Ze hadden er flink ruzie over gekregen. Normaal zou ze er alles aan doen om het uit te praten en goed te maken. Nu interesseert het haar niet.

Ze begrijpt zelf niet waarom ze laatst ineens dacht aan die ontmoeting in het café, al zo lang geleden dat ze niet eens meer weet wanneer dat precies was. Waarschijnlijk had het te maken met het stralende bruidspaar dat ze laatst bij het stadhuis van Zwartburg zag, toen ze erlangs liep op weg naar de bushalte. Daardoor had ze ineens die niet al te toeschietelijke jongeman voor zich gezien. Hij had op die avond aangegeven zijn vriendin ten huwelijk te gaan vragen. Zou hij dat echt hebben gedaan? Waarom interesseert haar dat nu zo? En waarom had ze op die avond tegen hem gelogen? Waarom had ze gedaan alsof ze ook alles van alcoholisme af wist? Had ze gehoopt hem op die manier nog even vast te kunnen houden? Het was zomaar ineens in haar opgekomen nadat hij zo angstvallig had geweigerd nog een glas bier te drinken. Misschien had ze toen onbewust al geweten dat deze jongeman aan zijn vriendin gaf wat zij bij Almanzo miste.

Ze zucht en staat op als de bus het busplein oprijdt. Vanaf haar plekje bij de deur kan ze de felle kleuren van het uithangbord aan de gevel van de bloemenzaak zien. Ze haat die winkel en dit dorp met alles wat erbij hoort. Ze zou terug willen rijden, weg van hier. Maar waarheen?

De bus opent de deuren. Kil bijt de wind in haar gezicht. Achter een trage, oude dame, die in de winkel elk boeket te duur vindt, stapt ze uit.

Uren later zit ze over haar studieboeken gebogen, maar haar hoofd weigert de stof op te nemen. Beneden hoort ze haar vader redderen. Hij zit de hele avond achter zijn computer. Zij had geweigerd voor de koffie naar beneden te komen. Nu loopt hij af en toe naar de keuken om voor zichzelf nog een kopje in te schenken.

Coby steunt haar hoofd in haar handen. Had hij maar gezwegen, dan had ze in ieder geval nog het idee gehad dat ze met die winkel het hoofd boven water konden houden. Alles was nog veel erger dan ze dacht. Alles was voor niets...

'Het gaat niet goed,' had hij vanavond onder het eten plompverloren opgemerkt. Hij leek ineens ouder en stonk nog erger naar sigarettenrook dan anders. Ze had op dat moment nog niet begrepen wat er ging komen. Daarom had ze rustig een volgende hap in haar mond gestoken. 'Het gaat niet goed,' had hij nadrukkelijk herhaald. 'Mensen waarderen de voorzieningen in hun dorp niet meer. Ze werken in Zwartburg of elders, en halen daar hun bloemen en planten bij exclusieve zaken. Hier klagen ze over de hoge prijzen, daar nemen ze de exorbitant hoge prijzen voor lief, omdat het zo chic zou zijn. Ze wauwelen over het grotere assortiment elders, en dat mag wat kosten, maar hier? Ik loop me hier het vuur uit de sloffen, ik probeer hun alle service te bieden die je maar bedenken kunt en het is nooit genoeg.'

'Het zijn slechte tijden,' probeerde ze hem nog op te monteren. 'Iedereen klaagt, maar na slechte tijden komen weer betere tijden.'

'Ik weet niet of ik het nog zo lang volhoud. De bank begint zich te roeren.'

Op dat moment waren bij haar pas de alarmbellen gaan rinkelen.

'Ik heb veel moeten investeren in die verbouwing.' Het viel haar toen ook op dat hij nauwelijks had gegeten. 'Iedereen was lovend over die metamorfose, maar uiteindelijk haalden ze hun boeketten gewoon weer elders. Het interesseert niemand dat ik daardoor nauwelijks meer het hoofd boven water kan houden. De mensen klagen als ze even bij het afrekenen moeten wachten, ze klagen als een bepaald product niet voorradig is. Ze willen maar niet begrijpen dat ik niet alles kan leveren. Ze verwachten wonderen van me.'

'Afgelopen zaterdag was het toch hartstikke druk?' Ze had niet willen horen wat hij te zeggen had.

'Het wil wat zeggen als je dat opvalt.'

De rodekool smaakte haar op dat moment niet meer. Ze schoof haar bord terzijde, net zoals hij had gedaan. 'En wat nu?'

'Ik probeer de zaak van de hand te doen en dan moet ik maar zien dat ik ergens aan het werk kom. In het ergste geval ben ik eerder failliet.'

'En gaan we dan weer terug naar Amsterdam?'

'Jacoba, onthoud goed dat wij in Amsterdam niets te zoeken hebben.'

'Maar mama...'

'Noem haar niet zo. Ze is het niet waard dat je haar zo noemt. Ze is geen moeder.'

Coby kon het niet goed hebben als hij zo over haar moeder tekeerging. 'Mama vond het hier niet fijn, ze voelde zich erg ongelukkig,' had ze er zachtjes tegen ingebracht.

'En daarmee maakte ze ons erg ongelukkig. Ze geeft niets om haar eigen dochter. Of heeft ze de laatste tijd nog iets van zich laten horen?'

Ze had niets gezegd. Hij hoefde niet te weten dat ze pas een sms'je had ontvangen waarin haar moeder informeerde naar haar welzijn. Als ze het zou vertellen, zou hij weer een reden hebben om op haar af te geven.

Tot haar opluchting was hij erover opgehouden, al had die opluchting al snel plaatsgemaakt voor ontzetting. 'Ik heb de laatste dagen veel nagedacht,' had hij opgemerkt. 'Buiten jouw medeweten om heb ik contact opgenomen met tante Agnes en oom Adriaan. Ik maak me namelijk zorgen over je. Volgens tante Agnes was dat terecht. Ze was het met me eens dat het goed voor je zou zijn om een poosje afstand te nemen. Je mag bij hen logeren zo lang als nodig is.'

'Dat meen je toch niet echt?' Ze had werkelijk gedacht dat hij een grapje maakte.

'Natuurlijk meen ik het.' Hij had zijn shag alweer tevoorschijn gehaald. Met zijn dikke gele vingers draaide hij een sjekkie. 'Over zulke dingen ben ik serieus. Het is goed voor je om een poosje in een normaal gezin te verblijven.'

'Als ik hier wegga, dan is dat om zelf ergens op kamers te gaan wonen.'

'Jij weet net zo goed als ik dat je daar geen geld voor hebt.'

'Met mijn studiefinanciering...'

'Niks studiefinanciering! Je gaat naar oom Adriaan en tante Agnes!'

Even was het stil geworden. In die stilte stak hij zijn sigaret aan en blies de eerste rook haar kant uit.

'En hun stomme tweeling. Pa, je weet zelf hoe die meiden zijn. Ze zijn verwaand en vals. Bovendien zijn ze net zestien. Ik ben volwassen!'

'Voor de wet misschien. Ik begrijp niet waarom Ella en Harma verwaand en vals zouden zijn. Ik merk daar nooit iets van. In ieder geval heb je in dit huis naar mij te luisteren, en ik vind dat je naar je oom en tante moet. Bovendien hoor ik altijd van je dat je liever in Zwartburg woont dan hier.'

'Ja, maar niet bij die familie!'

Vanaf dat moment had hij gezwegen. Ze had geweten dat ze de strijd verloren had. Zijn besluit stond vast.

Ze schuift haar boek aan de kant. Haar besluit staat ook vast.

Zij gaat niet bij tante Agnes en oom Adriaan logeren. Nu niet en nooit niet.

Drie dagen later is ze daar helemaal niet meer zo zeker van als tante Agnes ineens in de kamer staat, gevolgd door oom Adriaan. 'Kind, wat fijn om je weer te zien en wat zie je er goed uit,' lispelt tante Agnes, terwijl ze Coby tegen haar volle boezem drukt. 'Leuk hoor, dat rode haar. Heb je dat al lang? Wat zien we elkaar toch weinig en we wonen niet eens ver bij elkaar vandaan.'

'Dat komt door die broer van je die het altijd druk heeft,' vindt oom Adriaan. Verwijtend kijkt hij naar zijn zwager. 'Voor je het weet zijn we oud, Albert. Je zou eens wat meer van het leven moeten genieten.'

Hij omarmt zijn nichtje. De geur van een dure aftershave prikkelt haar neusgaten.

'Genieten, genieten... ik ben nogal in de omstandigheden om te genieten,' moppert Albert, terwijl hij een sigaret opsteekt.

'En dat roken in huis zou je ook eens moeten laten,' wijst tante Agnes hem terecht. 'Dat is voor je dochter ook bijzonder ongezond. Of rook jij ook, kind?'

Coby schudt haar hoofd.

'Nou, dat is maar goed ook, want in mijn huis wil ik dat volstrekt niet hebben. Je weet inmiddels dat je bij ons komt logeren? Als je zaterdagavond komt, kunnen we er een gezellige zondag van maken. Het zal goed zijn als je een poosje in een andere omgeving kunt verblijven. Meisjes van jouw leeftijd behoren niet zoveel op hun schouders te dragen.'

Coby voelt zich weer een kleuter. Ze had zich voorgenomen om te protesteren en resoluut te weigeren, maar tante Agnes kijkt haar met zo'n liefdevolle glimlach aan dat ze zwijgt.

'Ella en Harma vinden het ook leuk dat je komt,' doet oom Adriaan nog een duit in het zakje.

'Ik blijf niet zo lang,' protesteert ze toch nog wat zwakjes.

'Je mag zo lang blijven als je wilt. We vinden het juist heerlijk dat je er bent.' Tante Agnes streelt haar haren. 'De logeerkamer is al helemaal op orde, dus we zijn klaar om je te ontvangen. Het is jammer dat je niet op dezelfde school gaat als de meiden, anders zouden jullie samen op kunnen fietsen.'

'Je oom en tante lusten wel een kop koffie, denk ik,' hoort Coby haar vader nu zeggen.

'Je hoeft in ieder geval niet langer met de bus naar school,' merkt oom Adriaan op. 'Bovendien schenkt tante Agnes altijd zelf koffie voor de visite. Een verblijf in huize Braspenning levert dus vooral voordelen op.' Oom Adriaan grijnst. 'Wedden dat je over een poosje niet meer terug wilt?'

De zaterdagavond daarop stapt Coby met een hoofd vol verwarde gedachten en een koffer gevuld met kleding in de bus die haar naar haar familie zal brengen. Na een hele dag in de winkel overheerst de opluchting. Voorlopig hoeft ze even niet. Geen onhandelbare bloemen, geen gemopper van Siggy, geen lastige klanten, geen gestreste vader. Vandaag had ze zich nog meer geërgerd dan anders. Haar vader had haar afgesnauwd in het bijzijn van een klant, hij had haar belachelijk gemaakt tegenover een klasgenoot. Ze was toch al niet populair op school, dat zou er na dit weekend zeker niet beter op worden. Nu gaat ze op weg naar de nichtjes aan wie ze altijd een hekel heeft gehad. 'De nufjes' noemde haar moeder ze altijd. Het is al lang geleden dat ze Ella en Harma heeft gezien. Misschien zijn ze inmiddels wel gezelliger geworden. Toch voelt het vreemd om hier nu echt weg te gaan. Ze kijkt nog even om als de bus optrekt. Het busplein is verlaten, alleen voor het raam van de snackbar ziet ze mensen. Vanuit de supermarkt straalt een flauw licht naar buiten. De bus rijdt langs 'Alberts Flowertheek'. Ineens voelt ze zich niet langer volwassen meer. Ze zou willen dat iemand haar uitzwaaide.

Als Albert op zijn slaapkamer staat, kan hij net een glimp van de bus opvangen. Hij kan Coby niet zien zitten, maar hij stelt zich voor hoe ze er zit. 'Je hoeft me niet weg te brengen,' had ze gezegd. 'Vandaag ben je druk genoeg geweest. Doe maar lekker rustig aan. Ik red me wel.'

'Ik red me wel.' Ze had het al gezegd toen ze nog heel

klein was. 'Kan ik wel zellef!' zei ze als hij haar ergens bij wilde helpen. 'Kan ik wel zellef!' zei ze toen Gerda ziek was en hij haar naar school wilde brengen. Het was vaak net alsof er een afstand tussen hem en Coby bestond die hij onmogelijk kon overbruggen. Zelfs na het vertrek van Gerda had hij daar niets aan kunnen veranderen. Nu ging ze naar zijn zus Agnes. Hij was ervan overtuigd dat het haar daar aan niets zou ontbreken. Agnes was een echte moederkloek. De vraag was of Coby zich als een kuiken zou laten behandelen. Toch was dit het beste wat hij kon verzinnen in deze zware tijd. Coby had genoeg van zijn sores meegemaakt. Volgens Agnes had hij haar veel te veel met zijn eigen problemen opgezadeld en was het zijn eigen schuld dat ze zo eigenzinnig was geworden. 'Je zult zien dat ze helemaal zal opknappen als ze bij onze meiden is,' had ze vol overtuiging gezegd. Hij had er een hard hoofd in, maar dat had hij zijn zus niet laten merken.

De bus is voorbij, hij staart nu in een stille straat. Het is dezelfde stilte die hij binnen in zich voelt.

Als een fraai verlicht baken steekt de Grote toren boven de stad uit. Bij de bushalte dromt een groepje jongeren bij elkaar. Een oude man wordt door een jonge vrouw opgehaald. Ze steekt hem de hand toe als hij uit de bus stapt. 'Wat fijn dat je er bent, pa.' Coby kijkt even naar de hartelijke begroeting en ontdekt een eindje verderop haar twee nichtjes, die werkelijk proberen te doen alsof ze het leuk vinden dat ze er is. 'Zal ik je koffer dragen?' biedt Harma aan.

'Laat mij dat doen.' Ella steekt haar hand al uit.

Coby houdt de koffer stevig vast. 'Ben je gek, dat kan ik zelf.'

'Mama zei dat je een hele tijd zou blijven,' merkt Ella even later op als ze het busstation verlaten hebben. 'Waarom heb je dan maar zo'n klein koffertje bij je?'

'Zo heel lang blijf ik niet.' Coby omklemt het handvat stevig.

'Mama zei van wel.'

'Ja hoor, mama zei van wel,' bevestigt Harma.

'Nou, ik zal wel zien.' Ze steekt haar kin in de lucht en probeert haar onrustige gedachten het zwijgen op te leggen. Niemand kan haar dwingen om hier langer te blijven dan ze wil.

'Je slaapt op de logeerkamer,' meldt Harma nu. 'We dachten dat je dat fijner zou vinden dan bij een van ons op de kamer.'

Ze kan nauwelijks geloven dat haar nichtjes werkelijk zo aardig zijn als ze zich nu voordoen.

'Ik ben wel blij dat die zaak van je vader niet hier in Zwartburg is,' gaat Harma verder.

'Nou, zeg dat wel,' is Ella het met haar eens. 'Dan zouden ze er bij ons op school ook nog achter komen dat de toko failliet is.'

'Failliet?'

'Ja, ik heb er geen ander woord voor. Helemaal naar de haaien.'

'Naar de filistijnen.' Harma geeft haar zus een opgewekte por. 'Heb je die haarkleur trouwens pas?'

Wat onzeker grijpt Coby met haar vrije hand naar haar hoofd.

'Ik zou het de volgende keer niet zo rood verven,' gaat Harma onbarmhartig verder. 'Het maakt je bleek.'

'Heel bleek.' Ella geeft een speelse trap tegen haar koffer. 'O sorry... ik vraag me echt af waarom je maar zo weinig kleding hebt meegenomen.'

'Ik blijf niet lang,' zegt ze en ze verhuist haar koffer naar de andere hand. Opgelucht constateert ze dat ze het huis van tante Agnes en oom Adriaan bijna bereikt hebben. Ze is echt niet van plan om lang te blijven.

Als huwelijksreis hebben Yannick en Lia voor Texel gekozen, waar in deze tijd van het jaar een weldadige rust heerst. Als ze naar de Slufter lopen, komen ze geen mens tegen. Lia merkt op dat ze zelfs de bedrijvigheid van de vogels mist. Het geeft de plek een vreemde, verlaten sfeer die zelfs de fletse zon niet kan opheffen.

'We zijn alleen op de wereld, jij en ik,' verzucht Yannick, terwijl hij Lia's hand vastpakt.

'Ik zou dat een beangstigende gedachte vinden.' Ze staat stil.

'Waarom? We hebben toch genoeg aan elkaar?'

Lia zwijgt en hij kijkt naar haar, zoals ze daar staat, diep in gedachten verzonken. Haar wangen zijn rood van de frisse wind, haar ogen lijken nog groener dan normaal. Ze heeft de capuchon van haar jas over haar hoofd getrokken.

'We hebben toch genoeg aan elkaar?' herhaalt hij.

'Nee, dat hebben we niet.' Haar stem wordt meegedragen op de wind, ze kijkt hem niet aan. 'We hebben meer mensen nodig.'

'Ik niet,' zegt hij stellig. Hij perst z'n smalle lippen op elkaar. 'Ik zou me prima redden als alleen wij er maar waren. Stel je voor, jij en ik op een onbewoond en zonnig eiland.'

'Dan moet je niet op Texel zijn.'

'Doe niet zo flauw, natuurlijk niet. We zoeken een prachtig eiland en daar hoeven we niets, behalve voor eten en drinken zorgen.'

'Daar zul je toch andere mensen voor nodig hebben.'

'Welnee, we slaan ergens een put en we verbouwen onze eigen groente. Er moeten wel eerst koeien of geiten aangeschaft worden. Af en toe ga ik vissen. We zouden het best samen redden. Wat heerlijk! Geen verplichtingen en alle tijd voor onze liefde.'

'Zie je het niet wat te rooskleurig?' oppert ze voorzichtig.

'Nee, ik weet zeker dat we gelukkig zouden worden. Wij met z'n tweeën, ver weg van alles en iedereen.'

'Zelfs jij zou dat niet redden,' houdt ze vol. 'Zelfs jij hebt meer mensen nodig. Mensen die je inspireren en met wie je van gedachten kunt wisselen.'

'Dat kunnen wij over en weer toch ook?'

‘Op den duur niet.’

Hij kijkt alsof hij haar niet begrijpt. ‘Je zegt het niet, maar je bedoelt eigenlijk dat ik mijn familie nodig heb,’ zegt hij dan langzaam. ‘Ik heb deze dagen echt wel gemerkt dat je daar steeds weer op terugkomt. Ik vind dat je me de ruimte en de tijd moet geven.’

‘Als het dan maar niet te laat is,’ zegt ze.

‘Natuurlijk niet. Waarom zou het te laat zijn?’

‘Het gaat niet alleen om jou.’

Haar opmerkingen ergeren hem. Hij laat haar hand los en steekt ze in de zakken van zijn parka. Lia doet net of ze het niet in de gaten heeft.

5

Het riedeltje van haar telefoon gaat voor de derde keer die middag over, en zonder te kijken weet Coby dat het haar vader is. Ze drukt haar handen tegen haar oren en probeert haar gedachten bij de leerstof te houden. Opgelucht ontdekt ze dat haar vader het dit keer niet zo lang volhoudt. De deur van de kamer van haar nichtjes wordt geopend. Er klinkt gegiebel op de gang. Coby luistert ingespannen, maar haar nichtjes lopen de trap af die naar de benedenverdieping van het riante onderkomen van oom Adriaan en tante Agnes leidt. Even later klinkt de stem van tante Agnes die naar boven roept: 'Coby, kom jij ook een kopje thee drinken?'

'Ik moet nog heel veel leren voor morgen!' schreeuwt ze terug in de hoop dat haar tante niet verder zal aandringen.

'Ik verwacht je binnen vijf minuten beneden. Dat leren kan wel even tien minuten uitgesteld worden. Zo lang kun je je toch niet achter elkaar concentreren.'

Coby geeft geen antwoord.

'Vijf minuten dus, Coby,' klinkt het nog eens heel beslist.

Tante Agnes was niet zo zachtaardig als ze zich altijd voordeed. Alles moest gaan zoals zij zich dat voorstelde. Coby was helemaal niet gewend om uit school met wie dan ook thee te drinken. Ze had er nu een gruwelijke hekel aan om met haar twee nichtjes net te doen alsof het gezellig was. Al snel had ze ontdekt dat ze niets veranderd waren. 'De nufjes' was nog helemaal van toepassing. De drie weken die Coby hier nu verbleef waren slecht voor haar zelfvertrouwen. Haar familieleden lieten haar goed merken dat ze 'genadebrood at'. Die term was haar zomaar ineens te binnen geschoten tijdens het zondagse ontbijt. Tante Agnes zag er nauwgezet op toe dat ze haar brood niet te uitbundig belegde. De nichtjes kibbelden omdat ze niet naast haar in de kerk wilden zitten. Zij voelde zich krimpen. Steeds kleiner en onbeduidender werd ze te midden van deze mensen die het zo goed met zichzelf getroffen hadden.

'Wat heb je gekke, dunne benen in die broek,' meende Harma te moeten zeggen toen ze op een morgen in haar skinny jeans aan het ontbijt verscheen.

'Tja, het flatteert je niet echt,' viel tante Agnes direct bij. 'Je bent ook maar zo'n iel meisje. Dat moet je niet te veel benadrukken.'

Haar jas was armoedig, ze moest nodig iets aan haar haren doen en het was jammer dat ze 'maar' een mbo-opleiding volgde. De nichtjes gingen naar het vwo.

Het is haar deze weken wel duidelijk geworden dat ze de mindere van haar nichtjes is. Op haar vader hoefde ze ook al niet trots te zijn, om over haar moeder maar te zwijgen.

Waarom wilden ze toch dat ze bleef logeren?

'De vijf minuten zijn voorbij!' klinkt beneden de stem van Harma. Waarom laat tante Agnes dat door Harma zeggen? Het is vernederend om door haar nichtje tot de orde geroepen te worden. Alles steigert in haar en toch kan ze niet anders, want het is haar inmiddels wel duidelijk dat ze hier nog wel even gastvrijheid zal moeten genieten.

Een paar uur later kauwt ze langdurig op een walnoot die haar tante in een buitengewoon verantwoorde salade heeft verwerkt. Oom Adriaan deelt zijn zorgen over de problemen met de economie die ook zijn zaak treffen.

'Gaan we dan net zo op de fles als oom Albert?' informeert Ella, wat haar een waarschuwende blik van haar moeder oplevert. Coby staart naar haar bord en prikt lusteloos in een blaadje veldsla.

'Ik hoop het niet,' gaat Harma hardvochtig verder. 'Anders staan we straks hartstikke voor gek op school.'

'Dat is natuurlijk niet voor gek staan,' maant haar vader.

Coby kromt haar tenen en klemt haar vork vast in haar hand.

'Wij houden in ieder geval onze manieren,' merkt Ella op met een blik op Coby. 'Die kan niemand ons afnemen.'

'Coby, gebruik mes en vork, wil je?' maant tante Agnes

haar met een stem vol begrip en liefde.

Coby heeft nooit geweten dat sla ook rood kan zijn. Haar vader kocht altijd een gewone krop sla, geen sla met rare blaadjes. Ze heeft ook nooit geweten dat zo'n stem vol begrip en liefde tegelijk kan kwetsen. Er is zoveel wat ze niet geweten heeft.

Er stopt een auto voor het huis. 'Als je het over de duivel hebt...' begint oom Adriaan. 'Daar staat waarachtig Albert zelf voor de deur. Ik dacht dat die man niet eens meer in staat was om een tank met benzine te vullen. Nou, dat valt dan weer mee.'

Zou hij nu werkelijk niet begrijpen hoe zo'n opmerking bij haar aankomt? Oom Adriaan glimlacht in ieder geval naar haar, en dat geeft Coby het idee dat hij het zo niet bedoelt. Hij legt heel even zijn hand op haar schouder. 'Je oude oom zal die armoedzaaier wel binnenlaten.'

'Adriaan toch...' zegt tante Agnes, maar ze lacht erbij, net zoals Harma en Ella. Net zoals ze altijd lachen als ze iets vreselijks zeggen.

Het is Coby nooit eerder opgevallen dat haar vader maar zo'n onbeduidend mannetje is. Ze ziet het nu hij in de kamer naast oom Adriaan staat. Haar vader draagt een spencer over een voordelig overhemd. Ze heeft altijd het idee gehad dat hij er weliswaar saai, maar netjes uitziet. Vanavond ziet ze dat het een armoedig stelletje is dat in het niets valt naast het maatkostuum van oom Adriaan. 'Zo zwagertje, vertel me maar eens wat jou hier brengt.'

Een joviale hand op de schouder van haar vader. 'Wil je misschien een hapje mee-eten?' informeert tante Agnes, en Coby hoopt van ganser harte dat hij zal weigeren, maar hij stemt gretig toe.

'Coby, zou jij je vader niet eens begroeten?' spoort oom Adriaan haar aan. Schoorvoetend staat ze op. Haar nichtjes giechelen ingehouden. Plichtmatig geeft ze haar vader een kus op zijn wang. Waarom houdt hij nu haar schouders vast?

'Kijk me eens aan, Jacoba.'

Het gegiechel wordt luider. 'Houd eens op, meiden,' wijst oom Adriaan zijn dochters terecht.

Het schijnt haar vader niet te storen. Ernstig kijkt hij haar aan. De druk op haar schouders wordt zwaarder. 'Vertel me eens waarom je je telefoon niet opneemt?'

'Dat meen je toch niet?' Tante Agnes plaatst een extra bord op tafel. 'Ik heb haar vanmorgen nog gevraagd of ze al iets van je had gehoord. Ze beweerde van niet.'

'Ik probeer haar al drie dagen te bereiken,' zegt haar vader gebelgd.

'Je luistert toch niet naar me.'

'Jacoba!'

'Ik heb je toch steeds gevraagd of ik weer naar huis mocht komen?'

'In deze omstandigheden is het veel beter dat je hier blijft.'

'Voor wie? Voor jou? Voor mij is het hier namelijk niet beter.'

'Wel kind, het is hier veel beter dan thuis. Je weet niet wat daar allemaal gebeurt.' Zijn gezicht is rood geworden. Geagiteerd wrijft hij over zijn glimmende voorhoofd. 'Ik heb een aantal kopers gehad, maar die blijken later toch geen interesse te hebben, of ze brengen een belachelijk laag bod uit.'

'Logisch, ze maken misbruik van de situatie,' meent oom Adriaan. 'Je moet er maar op rekenen dat je met schulden blijft zitten.'

'Ja, en dan heb ik Siggi natuurlijk nog,' vervolgt haar vader. 'Ik ben haar nog loon verschuldigd, maar op dit moment kan ik haar dat niet betalen. Na al die jaren meende ik dat we een soort van vriendschap hadden opgebouwd, maar ze maakt me bij iedereen in het dorp zwart.'

'Als het om geld gaat...' weet oom Adriaan.

'Dat soort dingen brengt zoveel spanning met zich mee,' meent tante Agnes. 'Je mag echt blij zijn dat je hier zit, Coby.'

'Kun je me misschien ook vertellen wat je bedoelt met je opmerking dat het hier niet beter is?' Oom Adriaan kijkt haar oplettend aan. Ze voelt hoe ze kleurt en ziet hoe nu alle gezichten zich in haar richting keren.

'Ik bedoel gewoon dat ik net zo lief naar huis wil. Iedereen behandelt me als een kleuter, maar ik ben toch echt volwassen.'

'Zo gedraag je je anders niet,' valt tante Agnes haar in de rede. 'Je hebt helaas van huis uit geen stabiele basis meegekregen en dat wreekt zich.'

'Je bedoelde er niets anders mee?' blijft oom Adriaan aandringen. Haar nichtjes kunnen hun gegiebel weer niet onderdrukken.

'Welnee,' haast ze zich te zeggen.

'Ik wil alleen het beste voor je,' hoort ze haar vader nu wat aarzelend zeggen. 'Ik doe dit echt alleen voor je eigen bestwil.'

'Als je dat meende, liet je me wel naar mama gaan.' Het ontglipt haar en ze schrikt van de stilte die haar opmerking teweegbrengt. Haar vader loopt opnieuw rood aan en wordt vervolgens heel bleek. Zijn adamsappel gaat heftig op en neer en even is ze bang dat zijn hart het zal begeven.

'Kind, zeg dat nooit weer,' maant tante Agnes haar. 'Je weet toch wat je moeder jullie heeft aangedaan?'

'Tante Gerda was altijd een raar mens,' zegt Ella. Oom Adriaan maant haar stil te zijn. Coby klemt haar lippen op elkaar, knijpt onder de tafel haar handen tot vuisten. Haar vader wist zich het zweet van zijn voorhoofd. Als ze naar hem kijkt, weet ze zeker dat ze van hem geen enkele hulp kan verwachten. Ze moet het zelf doen.

'Als jij weet te achterhalen waar je moeder zich bevindt, mag je haar vragen of ze je een poosje onderdak wil verlenen,' hoort ze hem nu toch zeggen.

'Ik ben er zeker van dat Gerda daar geen zin in heeft,' meent tante Agnes stellig. 'Of ze zou hard veranderd moeten zijn.'

'Precies,' stemt haar vader in. 'En dat is ze echt niet.'

Coby heeft haar moeder laatst een sms'je gestuurd met de vraag of ze mag komen, maar heeft tot op heden geen antwoord ontvangen. Natuurlijk vertelt ze dat niet. Als haar vader informeert hoe het op school gaat, nemen Harma en Ella het gesprek over. Ze is blij als hij eindelijk aanstalten maakt om weer huiswaarts te keren.

Twee dagen later staat ze na het laatste uur bij de uitgang van school te wachten. Ze heeft haar fiets uit het fietsenrek gehaald en kijkt voor de zoveelste maal op haar horloge. Net als ze bedenkt dat het bijna niet anders kan of Astrid is haar toch ontgaan, ziet ze haar voormalige vriendin de schooldeur uit komen. Ze loopt traag, de blik op de grijze tegels gericht. Het is alsof ze niets van haar omgeving opmerkt, alsof ze volledig in zichzelf is gekeerd. Coby weet dat het gezichtsbedrog is, dat Astrid nu niets ontgaat, dat ze de aanwezigheid van Coby allang heeft opgemerkt. Ze versnelt haar pas in de richting van het fietsenhok.

'Astrid!'

Iedereen kijkt naar haar.

'Astrid, ik wil even met je praten.'

Astrid blijft staan. Haar bruine, met zwarte eyeliner omrande ogen, zoeken peilend de hare. Tegen haar zwart geverfde haren steekt haar gezicht bleek af.

'Ga je gang,' merkt Astrid wat onwillig op.

'Niet hier. Vind je het goed dat we even ergens wat gaan drinken en dan praten?'

'Ik vraag me af waarom er nu ineens gepraat moet worden, en veel tijd heb ik niet want ik heb veel huiswerk.'

'Ik heb net zoveel huiswerk. Doe niet zo flauw, Astrid. Ik weet wel dat ik eerder met je had moeten praten, maar ik zit bij m'n oom en tante in huis.'

'We zien elkaar dagelijks op school.' Een smalende glimlach glijdt langs de bruinrode lippen van Astrid. 'Je vindt altijd een gelegenheid als je werkelijk wilt.'

'Je hebt gelijk.' Coby haalt diep adem. 'Maar wil je me dan nu even aanhoren?'

'Ga maar mee naar mijn huis. Vandaag moest mijn moeder onverwachts werken, dus het is rustig.'

'En je broer?'

'Robert heeft sinds kort verkering en is meer bij zijn geliefde dan thuis.'

Coby aarzelt even. Tante Agnes hamert er altijd op dat ze direct uit school naar huis moet komen. 'Je bent m'n eigen dochter niet, maar ik ben nu wel verantwoordelijk voor je. Dus geen gehang op straat, maar direct naar huis om na een kopje thee aan je huiswerk te beginnen.'

Tante Agnes met haar ellendige regeltjes.

'Ik ga met je mee,' zegt ze, en als ze even later naast Astrid fietst, voelt ze zich voor het eerst sinds weken een beetje opgewekt.

Er is niets tussen hen veranderd. De tijd van ruzie is in een halfuurtje weggewist en daarvoor in de plaats is hun oude vertrouwelijkheid terug. Coby heeft een sms'je naar Harma gestuurd met het verzoek tante Agnes op de hoogte te stellen dat ze bij Astrid zit.

Astrid zorgt voor sloten thee met veel biscuitjes. Ze giechelen als vanouds, maar Coby vertelde ook over haar verblijf bij haar tante en oom.

Astrid had geluisterd.

'Het beroerde is dat iedereen het beste met je voorheeft, maar dat niemand je serieus neemt,' concludeert ze nadat Coby is uitverteld. 'Is het geen idee om je moeder nog eens te vragen of je bij haar kunt wonen?'

'Ik ben zo bang dat ze weigert.'

'Waarom zou ze? Je bent haar dochter!'

'Dat heeft haar er destijds ook niet van weerhouden om ervandoor te gaan.'

'Daar begrijp ik ook niets van. Ze had jou toch kunnen vragen om met haar mee te gaan?'

Coby haalt haar schouders op. Ze staart naar een foto op het eikenhouten dressoir, die is gemaakt toen de ouders van Astrid vijftien jaar getrouwd waren. Als cadeau hadden Robert en Astrid hun ouders een familieportret aangeboden. Met z'n vieren zitten ze achter elkaar op een stevige boomtak. De foto is op de rug genomen, maar ze kijken allemaal lachend achterom. Dat plaatje treft haar steeds weer omdat het zo duidelijk de ontspannen sfeer weergeeft binnen de familie Menkveld. 'Misschien meende ze dat dit de beste oplossing was,' oppert ze.

'Onzin, ze had het jou gewoon moeten vragen. Ze dacht alleen aan zichzelf.'

'Ze stuurt me weleens een sms'je.'

'Dan wil ze dus wel contact.' Astrid denkt na. Ze heeft haar hoge rijglaarzen uitgetrokken en de wijde rok rond haar benen gedrapeerd. 'Bel haar gewoon. Misschien zit ze er wel op te wachten.' Ze legt haar benen over de armleuning van de stoel en laat haar voeten ontspannen slingeren. 'Ik vond eigenlijk dat jij een heel aardige moeder had,' zegt ze peinzend. 'Het paste helemaal niet bij haar dat ze jou zomaar hier liet. Voor mijn idee was ze dol op je. Echt dol. Jij mocht altijd alles. Weet je nog dat we ons mochten verkleden met haar kleren?'

'Mijn moeder hield er zelf ook van om zich te verkleden. Soms haalde ze die doos met prinsessenkleren van zolder. Ze heeft vroeger eens bij een operettegezelschap gezongen en daarvan heeft ze die jurken overgehouden. Ze noemde het prinsessenjurken en ze had ze allemaal zelf voor die vereniging genaaid.'

'Jouw moeder kon hartstikke mooi zingen. Ze leerde ons allerlei grappige liedjes.' Astrid neuriet een melodie die Coby vaag bekend voorkomt. Ze staart nog steeds naar de foto, maar langzaam verbleken die lachende gezichten. Ze maken plaats voor het gezicht waarvan bij haar thuis geen foto te vinden is. Een gezicht dat langzaam maar zeker bezig is uit haar geheugen te verdwijnen. Met de woorden van

Astrid ziet ze ineens de heldere blauwe ogen van haar moeder weer voor zich. Ze geniet ervan dat Astrid positief over haar moeder spreekt. Het is alsof ze een zwart-witfoto opnieuw inkleurt. Nu hoort ze ook haar stem. Soms zong ze heel vrolijke liedjes, maar de laatste maanden waren die achterwege gebleven. Ze herinnert zich dat haar moeder vaak afwezig klonk. In die tijd lachte ze ook niet veel meer. Zij was te jong en te veel met zichzelf bezig om te bedenken dat haar moeder misschien gewoon ongelukkig was. Zou haar vader dat nooit hebben gemerkt? Was hij te veel met z'n winkel bezig om aandacht aan haar moeder te schenken? Hij deed vaak alsof haar vertrek als een donderslag bij heldere hemel kwam, maar haar moeder had nooit onder stoelen of banken gestoken dat ze zowel het dorp als de winkel helemaal niets vond.

'Ja, mijn moeder kon hartstikke mooi zingen,' zegt ze als ze het afwachtende gezicht van Astrid ontdekt. Ze vraagt zich ineens af of ze tegenwoordig wel weer zingt.

Anderhalf uur later staat Coby geschrokken tegenover haar tante, die ze nooit eerder zo furieus heeft gezien.

'Jij zou uit school rechtstreeks naar huis komen!' fulmineert ze. 'Dat is de regel hier in huis en van die regel wil ik best afwijken, maar dan moet ik wel weten waar je bent!'

'Dat had ik doorgegeven!' antwoordt ze verontwaardigd.

'En aan wie had je dat doorgegeven? Ik heb niets gehoord!'

'Ik heb Harma een sms'je gestuurd.'

'En waarom weet ik dat niet?'

Coby haalt haar schouders op. 'Ik denk dat u dat aan Harma moet vragen.'

'Dat zal ik zeker doen!' Haar tante staat al onder aan de trap en even later staan Harma en Ella tegenover haar. 'Een sms'je van Coby?' herhaalt Harma. 'Zou ik dat dan over het hoofd hebben gezien?'

Traag haalt ze haar mobiele telefoon van boven. 'Ik weet

niet aan wie je dat bericht hebt gestuurd, maar ik heb niets ontvangen.' Ze laat haar telefoon aan Ella zien. 'Nee toch, El? Zie jij iets?'

'Ik kan het laten zien,' zegt Coby. 'Het staat in mijn mobiele telefoon bij de verzonden berichten.'

'Nee, dat hoef ik niet te zien,' zegt tante Agnes ijzig. 'Je hoort dit soort berichten niet via de meisjes door te geven. In het vervolg bel je mij. Geen sms'jes. Je belt me. Van mij hoor je dan of ik het ermee eens ben.'

Coby wil er iets tegen inbrengen, maar als ze naar het gezicht van tante Agnes kijkt, zwijgt ze.

Wonder boven wonder krijgt Coby die vrijdag toestemming om uit school naar Astrid te gaan, en er te blijven slapen. 's Middags hebben ze samen aan een opdracht voor school gewerkt. 's Avonds vertrekken ze voor het eerst sinds lange tijd weer naar De Oude Herberg. Voor Coby voelt het als thuiskomen. Ze wentelt zich in de gesprekken met bekenden, geniet van de aandacht die ze krijgt en de vele drankjes die aangeboden worden. Het is heerlijk om hier met Astrid te zitten en weer eens ouderwets te bomen.

'Ik heb nog eens nagedacht,' begint Astrid als het al bijna tegen de volgende dag loopt. 'Waarom gaan we binnenkort niet samen naar Amsterdam?'

'En dan?'

'We zoeken je moeder op.'

'Dat is nogal makkelijk in Amsterdam.' Coby giechelt.

'Jij weet toch onderhand wel een adres?'

'Ik krijg af en toe een sms'je van m'n moeder, maar als ik haar een berichtje stuur, komt er nooit antwoord.'

'Bel haar dan!'

'Ik spreek de voicemail in, maar ze belt nooit terug.'

'We moeten er iets op zien te vinden,' houdt Astrid vol.

'Ze moet me niet.' Coby drinkt haar glas cola in één keer leeg. Astrid zwijgt ineens.

6

Lia staat voor de spiegel. Ze bestudeert haar gezicht, brengt nog een likje oogschaduw aan en knoopt dan haar trenchcoat dicht.

'Voor wie ben jij je zo mooi aan het maken?' Yannick komt de trap af. 'Je hoeft echt niet zo lang voor de spiegel te staan. Had mij maar gevraagd. Ik zou je zo kunnen vertellen dat je er oogverblindend uitziet.'

'Overdrijven is ook een vak,' sputtert ze tegen.

'Je weet dat ik niet overdrijf. Ik vind je prachtig.' Hij slaat z'n armen om haar middel en trekt haar tegen zich aan. 'Waar was je van plan naartoe te gaan?'

'Ik heb afgesproken dat ik een kopje koffie bij je vader zou drinken.'

Hij laat haar los. 'Maar je bent toch pas geweest?'

'Ik probeer elke week even bij hem langs te gaan. Je vader is vaak alleen.'

'Ik begrijp het niet. Felia is er toch ook? Je hoeft toch niet zo vaak bij hem op bezoek?'

'Eén keer in de week vind ik niet vaak.'

'Voor mij is elke keer te vaak.'

'We hadden daar afspraken over gemaakt,' helpt ze hem herinneren. 'Ik zou jouw wens respecteren. Jij zou me vrijlaten.'

Soms twijfelt ze. Haar bezoeken aan Sierd zorgen voor zoveel spanning. Moet ze koste wat kost blijven gaan of is het beter om Yannick tegemoet te komen?

'Je wilt het gewoon niet begrijpen.' Hij stampt driftig met z'n voet op de grond.

'Ik kan het niet begrijpen,' brengt ze ertegen in. 'Ik wil het wel, maar het lukt me niet. Je hebt een fantastische vader. Hoe kun je hem dit aandoen?'

Zijn ogen worden een paar tinten donkerder. 'Daarin verschillen we nou eenmaal van mening. Goed, ga maar. Als je het te moeilijk vindt om rekening met mijn gevoelens te houden, moet je gewoon gaan.'

Ze bijt op haar lip. Even heeft ze de neiging om thuis te blijven. Sierd weet niet van haar komst, al zal hij het vermoeden. Yannick heeft zich omgedraaid. Het zien van die smalle, maar onverzettelijke rug, neemt haar twijfel weg. Ze gaat.

De programma's op televisie weten Yannick geen moment te boeien. Zwelgend in zelfmedelijden zapt hij van het ene programma naar het andere. Waarom houdt Lia geen rekening met zijn gevoelens? Wat betekent hij voor haar als ze gewoon haar zin doorzet? Ze had vanavond toch thuis kunnen blijven? Was zijn vader belangrijker voor haar dan hij?

Naarmate hij langer nadenkt, worden zijn gedachten donkerder, terwijl zijn gevoel van miskenning groeit. Zo was het immers altijd geweest. Niemand had ooit aan hem gedacht. De focus was in zijn familie alleen op zijn moeder en haar problemen gericht. En zijn moeder had maar één zorg: hoe kwam ze aan alcohol?

Hij had werkelijk gedacht dat het voorbij was toen ze overleed, maar het gaat gewoon door. Wanneer houdt het eindelijk op?

Lia deed alsof ze hem begreep. In werkelijkheid snapte ze er niets van. Zou ze anders wekelijks naar zijn vader gaan en hem steeds zijn groeten overbrengen? Zou ze hem anders vertellen dat ze weer eens bij Felia was aangewipt?

Met een driftig gebaar schakelt hij de televisie uit.

Hij houdt het hier niet meer uit. Gedachten zoemen als muggen door zijn hoofd en als hij hier blijft zitten, zal hij erin stikken. In de gang grijpt hij zijn jack van de kapstok en loopt naar buiten. Een fijne motregen laat de donkere straat glanzen. Tijdens het lopen wurmt hij zijn handen in de mouwen van zijn jack. Ondertussen sombert hij verder. Lia en hij zijn net een maand getrouwd en nu doet ze al geen enkele moeite meer om rekening met zijn gevoelens te houden. Waarom zou hij dan rekening met de hare houden?

Met grote stappen zet hij koers naar De Oude Herberg. Dat zal ze niet leuk vinden. Net goed. Oog om oog, tand om tand noemen ze dat.

Voor de deur hangt een rookgordijn. Verstokte rokers groeten hem als hij naar binnen gaat. Yannick wringt zich door het smalle pad tussen tafeltjes en bar door. Hij weet daar een plek te bemachtigen en bestelt een glas bier. Onopvallend neemt hij de andere bezoekers op. Nergens ziet hij een vaalrood, piekerig kapsel. Hij probeert het gevoel van teleurstelling te negeren. Is hij nou helemaal gek geworden?

Om zich een houding te geven, drinkt hij met grote slokken. Als hij het lege glas neerzet, veegt hij met de rug van zijn hand langs zijn lippen.

'Geef die man nog een biertje,' zegt een man naast hem. Verdwaasd wil hij weigeren, maar de man steekt zijn hand uit. 'Zo doen we dat hier. Mijn naam is Eelco van Beuzekom.'

Hij kan niet anders dan die hand drukken en zijn naam zeggen. Tot zijn verbazing ontspint zich een gesprek, waarvan hij later bedenkt dat het onderhoudend was, maar feitelijk nergens over ging.

Als Lia de woonkamer van Sierd binnenkomt, ontdekt ze fotoboeken op de grote, ronde eettafel.

'Ik haalde herinneringen op,' verontschuldigt hij zich enigszins betrapt. Snel klapt hij een van de albums dicht.

'Staan daar ook kinderfoto's van Yannick in?' wil ze weten. 'Die wil ik graag zien. Mag ik meekijken of vind je dat vervelend?'

'Dan moet je dit boek hebben. Dat is zijn geboorteboek. Bodil was daar heel precies in. Ze hield nauwkeurig bij wat hij allemaal at en dronk en hoe hij groeide. Yannick was een mooie baby.' Hij slaat het boek open. Samen zitten ze aan tafel. 'Kijk, hier is hij net geboren. Bodil had het zwaar gehad, maar ze kon toch al weer lachen. Ze vond het geweldig dat ze na een meisje nu een jongen kreeg.'

Stilletjes bekijkt Lia de foto's. Yannick die klein en gerimpeld in zijn wiegje ligt. Yannick op de arm van Sierd en Felia die in een stoel zit met haar broertje op schoot. Bodil die Yannick voedt, in bad doet, verschoont, in z'n wiegje legt. Bodil die met een dromerige blik de baby tegen zich aanhoudt. Bodil, trots en teder. Een moeder die van haar kind houdt. Lia voelt een brok in haar keel als ze Sierd en Bodil samen met hun kinderen ziet. De blikken die ze uitwisselen spreken boekdelen.

'Hoe heeft het toch allemaal zo verkeerd kunnen lopen?' De opmerking is eruit voordat ze er erg in heeft. 'Ik bedoel... jullie zagen er hier nog zo gelukkig uit. Hier zijn jullie gewoon een jong gezin.'

'Dat was ook zo,' beaamt Sierd. Nadenkend wrijft hij met zijn nagel over de mouw van zijn zwarte ribcord colbert. 'In die tijd leek ook alles goed. Ik was vooral druk met m'n carrière en Bodil had haar handen vol aan de kinderen. Ons leven zat boordevol, zoals dat bij alle mensen van die leeftijd het geval is.'

'Volgens Yannick is het allemaal veranderd nadat zijn opa overleed.'

'De vader van Bodil, bedoel je. Na zijn begrafenis was ze in ieder geval voor de eerste keer flink aangeschoten. Het was niet de aanleiding van haar drankmisbruik, wel het begin.'

'Wil je me daar iets over vertellen?'

'Over haar drankmisbruik? Daar weet je toch alles van?'

'Nee, over hoe het tussen jullie was voordat het begon.'

Ze buigt zich weer over de foto's. 'Als ik dit zie, vind ik het onvoorstelbaar dat Yannick zo negatief over Bodil denkt. Hij moet toch ook nog weten dat het anders is geweest?'

'Gun Yannick de tijd, Lia.' Zijn ogen strelen de foto's voor hem, terwijl hij nadenkend door zijn grijzende haar strijkt. 'Ik ben ervan overtuigd dat er een dag komt waarop hij zich het goede weer weet te herinneren.'

Ze wil hem zeggen dat het zo moeilijk is en dat het voor zoveel spanning tussen hen zorgt, maar Sierd gaat al verder: 'Bodil was een prima verpleegkundige, maar daar was ze zelf nooit van overtuigd. Ze had een uiterst negatief zelfbeeld. Je kent het verhaal van haar tragische jeugd natuurlijk. Opa Sijtsma, haar vader, was een alcoholist met een kwade dronk. Ze heeft in haar jeugd gezien hoe hij haar moeder sloeg. Op een dag ving ze een gesprek op tussen haar moeder en de buurvrouw. Haar moeder was weer eens flink mishandeld. Ze wist niet dat Bodil in de buurt was en zei in haar wanhoop dat ze haar man allang zou hebben verlaten als Bodil er niet was geweest. Sterker nog, ze zei dat ze zou willen dat Bodil niet geboren was. Dat alles samen heeft haar gevormd. Het was ook helemaal geen wonder dat ze geen spoortje zelfrespect had.'

Hij zucht en slaat een bladzijde van het fotoboek om. Opnieuw ziet hij Bodil met de kinderen, nu druk bezig met het creëren van een sneeuwpop. Ze was een knappe vrouw, vooral als ze lachte. Op deze foto lacht ze en hij weet nog hoe prettig die middag was, ergens in januari toen de hemel grijs werd en even later grote vlokken liet vallen. Hij herinnert zich nog hun wandeling door de sneeuw, die eindigde met het maken van de sneeuwpop. Uiteindelijk mondde het uit in een sneeuwballengevecht. Hij had zich gelukkig gevoeld.

'Yannick wil niet naar me luisteren als ik hem vertel dat het niet alleen de schuld van zijn moeder was,' merkt hij nadenkend op. 'Als er al sprake is van schuld, dan moet die misschien wel het meest bij mij gelegd worden.'

'Waarom hebben we het toch altijd over schuld?' wil Lia weten. 'In een mensenleven gebeuren dingen en er gaan dingen verkeerd, dat hoort toch bij het leven?'

'Ik had misschien kunnen voorkomen dat Bodil zich zo ongelukkig ging voelen. Zij gaf haar werk op na de geboorte van de kinderen, ik begroef me erin.'

'Jullie hadden haar salaris niet nodig.'

'Zo heb ik ook gedacht, maar een vrouw als Bodil had het salaris misschien niet nodig, maar wel haar werk. Ze kreeg waardering op de werkvloer, en juist voor haar was dat belangrijk. Ik vond het heel normaal dat ze dat opgaf. Het is geen moment in me opgekomen dat ze er wel eens moeite mee zou kunnen hebben om altijd maar 'de vrouw van' te zijn.'

'Waarom heeft ze dat dan niet gewoon gezegd?'

Sierd moet er ineens om lachen. 'Zo simpel is dat misschien voor jou, maar niet voor Bodil. Ze was niet gewend om haar mening naar voren te brengen. Haar vader mishandelde haar niet lichamelijk, maar verbaal gaf hij haar er flink van langs. Denk niet dat er thuis ooit naar haar mening werd gevraagd. Zoiets tekent je voor het leven. Maar laat ik mezelf niet op de borst slaan, waarschijnlijk had ook ik niet naar haar geluisterd. Mijn carrière was belangrijk, en het leek me voor haar heerlijk dat er geen noodzaak bestond om buitenshuis te gaan werken. Ik was destijds een arrogante jonge vent.'

Lia is stil. Ze kijkt hoe Sierds handen opnieuw een bladzijde omslaan. Bodil zit op de bank met Yannick op schoot, maar het is duidelijk te zien dat hij daar geen zin in heeft. Haar moeder zit naast haar, met een flinke ruimte ertussen. Op tafel staan twee glazen. Voor oma Sijtsma staat een glas vruchtensap, voor Bodil een glas rode wijn. Het is alsof die foto symbool staat voor alles wat er verkeerd is gegaan.

Sierd bladert snel verder naar de volgende bladzijde.

Het loopt al tegen tienen als Yannick thuiskomt, een stuk opgewekter na de aangename ontmoeting met Eelco van Beuzekom. Onderweg neemt hij zich voor om het zelfs niet erg te vinden als Lia hem weer de groeten van zijn vader overbrengt. Waarom ook zou hij daar last van hebben?

Het is onvoorstelbaar hoe snel zo'n goed humeur kan omslaan. Als hij de straat in loopt, ziet hij het direct: hun huis is nog in duisternis gehuld. Dat betekent dat Lia niet thuis is.

Blijkbaar was het te veel moeite om een beetje op tijd naar huis te komen. Zelfs dat heeft ze niet voor hem over. Mopperend opent hij de voordeur. Het is nogal gezellig om zo thuis te komen. Lia zal met haar vader vast over hem praten dat hij zo eigenwijs is, en dat ze hem niet begrijpt. Daarom wordt het natuurlijk zo laat, want daar raakt ze niet over uitgepraat. Zijn vader zal haar ook nog wel het een en ander weten te vertellen.

Even staat hij aarzelend in de donkere gang, dan hangt hij zijn jas op en loopt door naar boven. Als zij het niet nodig vindt om rekening met hem te houden, kan hij net zo goed naar bed gaan. Dan komt ze in ieder geval niet in de verleiding om hem te vertellen hoe gezellig het weer bij zijn vader was. Hij zal zich slapende houden als zij bovenkomt.

Terwijl hij even later zijn tanden staat te poetsen, neemt hij zich voor dat hij naar De Oude Herberg zal gaan, elke keer als zij het nodig vindt om zijn familieleden te bezoeken. Oog om oog, tand om tand. Om de een of andere reden knapt zijn humeur daar aanmerkelijk van op.

Jaren hebben ze verkering gehad, Yannick en zij. Het verwondert Lia dat er zo snel na hun huwelijk al zoveel onuitgesproken blijft. In de jaren ervoor hadden ze veel gedeeld, leek er niets onbespreekbaar. De weken na hun huwelijk rijgen zich aaneen, bijna acht weken zijn ze nu getrouwd en alleen al de woorden 'je vader' kunnen aanleiding zijn tot een ijzig stilzwijgen. Dus tracht ze die woorden te omzeilen, evenals de naam Felia of Simon. Als ze de familie negeert, lijkt hun huwelijk nog even warm en liefdevol als in het begin, maar ergens broeit er iets. Ze overweegt of het beter is om niet meer naar Sierd of Felia te gaan, maar direct verwerpt ze die gedachte weer. Waarom moet ze toegeven aan een onredelijk verlangen van Yannick? Ze doet hem er geen kwaad mee als ze naar haar schoonvader of schoonzus gaat en hun contact is prima. Toch ziet ze er elke keer tegenop om hem te zeggen dat ze weer van plan is om een bezoekje aan zijn vader of zus te brengen. Ze zou willen dat het ongemerkt kon, maar Yannick is niet vaak weg 's avonds. Meestal zit hij te studeren en elke keer proeft ze zijn afweer, ziet ze zijn ogen donkerder worden alsof ze iets heel erg onfatsoenlijks heeft voorgesteld.

Als ze thuiskomt, ligt hij in bed en doet alsof hij slaapt. Nooit informeert hij hoe haar avond was. De volgende morgen lijkt er niets aan de hand. Ze ontbijten samen, zij gaat naar haar werk, Yannick vertrekt naar de universiteit. En toch zit er iets goed fout, maar ze weet niet hoe ze dat kan veranderen.

Bijna schuchter heeft Lia ook deze vrijdagavond de deur achter zich in het slot getrokken. Zachtjes, alsof Yannick dan niet in de gaten zou hebben dat ze weggaat. Natuurlijk weet hij het wel, ze heeft het hem zelf verteld. Alleen al aan de manier waarop ze dat naar voren brengt, ergert hij zich. Vanaf dat moment zwijgt hij en hij merkt hoe ze zich dan in allerlei bochten wringt om het hem naar de zin te maken. Het voelt als een soort genoegdoening.

Als ze uit het zicht verdwenen is, trekt hij zijn jas aan en loopt ook naar buiten. De lichte avondlucht ademt lente uit. In de tuin staan de jonge planten nog een beetje schuchter in de bakken. Hij had moeite moeten doen om Lia te overreden de planten te kopen, want ze hield vast aan de periode van ijsheiligen. Ze hadden een compromis gesloten. Elke avond zet hij de bloembakken in de schuur totdat de periode waarin de vorst nog kan toeslaan, voorbij is. Het is tekenend voor Lia. Regels domineren haar bestaan. Daarmee houdt ze het leven overzichtelijk en onder controle.

Een buurman is in zijn minuscule voortuintje bezig. Yannick blijft even staan om een onbetekenend praatje te maken en even daarna verder te lopen. De buurt lijkt uit de winterslaap te ontwaken, kinderen spelen nog op straat, buren staan met elkaar te praten. Hij loopt langzaam door in de richting van De Oude Herberg. Voor de deur staan een paar gasten te roken. Ze groeten alsof hij een oude bekende is. Voor hem voelt het hier ook al vertrouwd als hij naar binnen loopt.

'Biertje?' informeert de man achter de bar joviaal en Yannick weet dat hij na twee biertjes een glas cola voor hem neer zal zetten omdat hij al op de hoogte is van het feit dat hij er nooit meer dan twee drinkt.

Hij steekt genietend zijn lip in de schuimkraag, leunt ontspannen tegen de bar en hoort dan een stem die hij meteen herkent. 'Ha naamloze man! Durf je je toch weer in deze alcoholische omgeving te vertonen?'

Spottend neemt ze hem op. 'Ik had niet verwacht jou hier nog eens terug te zien. Denk je dat je nu je naam wel durft te zeggen of blijf je liever anoniem?'

Even later lijkt ze zijn naam te proeven. 'Yannick, Yannick... wat een aparte naam. Heel anders dan Coby.'

'Coby is ook wel een heel oubollige naam,' zegt iemand. Nu pas merkt hij de jonge vrouw achter Coby op, die een bijzondere voorliefde voor zwart lijkt te hebben. Naast haar zwarte kleding en zwart omrande ogen, is ook haar enorme bos haar zwart geverfd. Haar bleke gezicht boezemt hem afkeer in, maar hij steekt toch zijn hand uit.

'Dit is Astrid,' zegt Coby haastig als ze zijn blik ziet. 'En ondanks haar soms niet bijster vriendelijke opmerkingen is ze mijn beste vriendin die me door dik en dun steunt.' Coby lijkt naast Astrid een kleurige vlinder met haar rode haar en knalpaarse bloes. Hij moet haar toch nog eens vragen hoe ze zich steeds weer in die smalle jeans weet te wurmen. Lijkt het maar zo of is ze nog magerder geworden dan ze al was? 'Ik kan altijd bij haar terecht als het thuis niet uit te houden is,' ratelt Coby verder. 'Dat zou ieder mens in deze omstandigheden moeten hebben.'

Hij bestelt bier voor de vriendinnen. Het verbaast hem dat Coby blij lijkt hem te zien. 'En, heb je haar inmiddels gevraagd?' wil ze ineens weten en ze werpt meteen een blik op zijn rechterhand. Hij ziet haar gezicht verstrakken. 'Je hebt nu een echte trouwring om.'

'Ik heb de daad bij het woord gevoegd.'

Ze heeft zichzelf weer in bedwang. 'Heb je een leuk feest gehad en zag je geliefde er mooi uit?'

Het is vreemd dat hij dit keer zo weinig moeite met haar heeft. Astrid zit erbij, maar zegt niet veel. Hij vergeet haar aanwezigheid. Omstandig legt hij Coby uit dat hij heeft gekozen voor een bruiloft zonder gasten. Ze reageert begrijpend en van het een komt het ander. Voor hij het weet, vertelt hij over zijn vader en zus die hij niet wil zien. Hij ziet haar ogen vol belangstelling, en dat moedigt hem aan om verder te gaan. Coby stemt af en toe met zijn verhalen in. Yannick vertelt over zijn jeugd, over zijn moeder, over zijn peilloze verdriet en machteloze woede. Coby herkent zijn gevoelens. Haar alcoholverslaafde vader drukt net zo goed een stevig stempel op haar leven. Eindelijk is er iemand die hem echt begrijpt.

Af en toe bestelt Astrid nieuw bier en zet dat zachtjes voor zowel Coby als Yannick neer. Hij heeft niet eens in de gaten dat hij zijn vierde glas bier aan het leegdrinken is. Hij praat over gebeurtenissen die allang vergeten leken. Hij praat meer dan hij in jaren heeft gedaan.

Het is al kwart voor twaalf als hij eindelijk op zijn horloge kijkt. 'Ik had allang naar huis gemoeten,' schrikt hij. Snel drinkt hij zijn zesde glas bier leeg. Als hij weg wil lopen, merkt hij hoe de wereld ineens beweegt. Hij moet zich vastgrijpen aan Coby.

'Zal ik je naar huis brengen?' biedt ze aan.

'Welnee, ik kan m'n huis zelf wel vinden. Ik woon hier vlakbij.'

'Het is maar een kleine moeite,' mengt Astrid zich er nu ook in. 'En we zullen zorgen dat je vrouw ons niet ziet.'

'Alsof me dat ook maar iets zou kunnen schelen.' Hij giechelt. 'Ze zou er wel van opkijken.'

'We lopen mee,' bedisselt Coby. Ze steekt haar arm familiair door de zijne. Hij heeft helemaal geen zin meer om te protesteren. Als ze buiten komen, is de avondlucht koel. Zijn maag speelt op. Hij haalt diep adem. Astrid loopt aan zijn andere kant. Ook zij heeft een arm door die van hem gestoken en hij vindt het eigenlijk wel prettig.

Natuurlijk ziet Lia hen. In de donkere slaapkamer staat ze voor het raam dat uitzicht op de straat biedt. Ze ziet hem zwalken, ze hoort hem ginnegappen en zachtjes praten. Zelfs vanaf haar standplaats is het duidelijk dat hij te veel gedronken heeft. Hij...

Ze begrijpt het niet.

Stilletjes trekt ze zich terug en kruipt in bed. Haar hart bonst met luide slagen. Is dit haar schuld? Moet ze niet koste wat kost haar zin door willen drijven? Is het beter dat ze de contacten met Sierd en Felia op een laag pitje zet? Wie zijn die vrouwen die bij Yannick zijn? Ze zien er zo raar uit, ze passen helemaal niet bij hem.

De voordeur valt te hard in het slot. In de gang struikelt Yannick ergens over, ze hoort hem een verwensing uiten. Van buiten klinken stemmen, er wordt gegiecheld, dan hoort ze hoe voetstappen zich verwijderen. Hakken tikken op het trottoir. Yannick lijkt niet van plan direct naar bed te gaan. In de keuken valt een glas. Ze hoort dat hij de kraan opendraait. Als ze hem eindelijk de trap op hoort komen, knijpt ze haar ogen stijf dicht en probeert zich slapend te houden.

Hij stommelt de slaapkamer in, valt over zijn eigen schoenen en knipt dan het licht aan. De felle lamp prikt dwars door haar oogleden heen. Een hete, felle woede welt ineens in haar op. 'Kun je misschien wat rekening met me houden?' valt ze uit.

'Waarom?' Hij gooit zijn shirt over een stoel, valt zelf bijna over zijn eigen voeten.

'Ik sliep.'

'Wat mij betreft mag je verder slapen.'

'En denk je dat dat mogelijk is in het felle licht?'

'Stop je hoofd dan onder de dekens!' Hij schreeuwt

ineens, valt opnieuw bijna.

'Sinds wanneer drink jij?' Ze gaat rechtop zitten.

'Sinds wanneer drink jij?' bauwt hij haar na.

Ze haalt diep adem, drukt haar nagels in haar handpalmen.

'Ik stel je een gewone vraag, ik schreeuw niet en ik wil een gewoon antwoord.'

'Jij hebt daar niets mee te maken.'

'Dat zie je verkeerd. Ik wil weten of je drinkt vanwege het feit dat ik naar je vader ben geweest.'

'Knap, je hebt het in één keer goed geraden.'

'Begint het daar niet mee?'

'Wat?'

'Probeerde jouw moeder haar problemen ook niet te vergeten door te drinken?'

Hij heeft zich omgedraaid. Ze kijkt naar zijn smalle blote rug die nog te wit is. Met onzekere vingers friemelt hij aan de knoop van zijn spijkerbroek.

'Dat is toch de reden waarom jij je moeder altijd zo hebt verafschuwd?' gaat ze onbarmhartig door. 'Je vond het toch zwak dat ze niet over haar problemen praatte, maar ze met drank trachtte te vergeten?'

'Mijn moeder, mijn moeder... Wat mijn moeder deed is niet vergelijkbaar met de paar biertjes die ik vanavond heb gedronken.'

Hij heeft de knoop los en laat zijn broek zakken. Onder zijn knalrode boxershort tekenen zijn witte benen zich mager af.

'Jouw moeder vond het ook altijd wel meevallen wat ze dronk.'

'Ik wil dat je nu je mond houdt over mijn moeder!' Hij slaat met zijn vuist tegen de stoel, uit een verwensing. 'Ik wil er geen woord meer over horen!'

'Toch zullen we moeten praten,' houdt ze aan. 'Dit is misschien niet het moment, maar morgen zullen we hierop moeten terugkomen, of je dat nu leuk vindt of niet.'

'Je doet je best maar.' Hij gaat naar de badkamer, even

later kruipt hij naast haar in bed. Ze ruikt zijn geur en toch is het alsof hij vanavond anders ruikt. Misschien verbeeldt ze het zich. Zonder nog iets te zeggen, draait hij zich van haar af. Ze wil iets zeggen. Ze wil vertellen dat het niet goed is om zo in slaap te vallen, maar zijn rug lijkt een onoverkomelijke barrière. Ze heeft gewoon het lef niet.

De volgende morgen wordt ze wakker met een barstende hoofdpijn. Beneden hoort ze Yannick in de keuken stommelen. Tot haar grote ergernis fluit hij alsof hij gisteravond niet te veel gedronken heeft. Met een zucht stapt ze uit bed om in de badkamer een paracetamol te nemen. Als ze die met veel water wegspoelt, hoort ze Yannick aankomen.

'Hé, lig je niet meer in bed?'

Hij staat in zijn boxershort boven aan de trap met een dienblad waarop een mandje met broodjes staat, twee glazen vers sinaasappelsap, twee kopjes thee en twee eieren. Zijn bleke gezicht straalt teleurstelling uit.

'Ik heb hoofdpijn,' zegt ze. 'Daar heb ik iets voor ingenomen.'

'Dat is niet eerlijk.'

'Wat is niet eerlijk?' Ze glipt het bed weer in.

'Ik heb gisteravond gedronken, jij niet.' Hij ziet er schuldbewust uit.

'Later...' zegt ze, en ze verstopt haar hoofd onder het dekbed.

Zachtjes zet hij het dienblad op het nachtkastje en kruipt naast haar.

Een uur later zitten ze zwijgend naast elkaar in bed te eten. Af en toe maakt Yannick een nietszeggende opmerking, die ze even nietszeggend beantwoordt.

'Het was heerlijk,' zegt ze als ze haar eitje leeggelepeld heeft.

'Je hebt het gewoon verdiend. Ik heb veel spijt van gisteravond.' Een beetje onhandig friemelt hij aan de dekbedhoes.

‘Het is al goed.’ Zo kent ze hem niet. Zijn onhandigheid ontroert haar.

‘Nee, het is niet goed!’ reageert hij heftig. ‘Ik ben wel vaker naar De Oude Herberg geweest, maar ik stop altijd na het tweede glas. Gisteravond heb ik me gewoon laten gaan en dat had ik niet moeten doen.’

‘Wie waren die twee vrouwen?’

‘Coby en Astrid. Ze zijn vriendinnen. Coby had ik al eens eerder ontmoet. Ze zit in hetzelfde schuitje als ik, al gaat het bij haar dan om haar vader. Hij is alcoholist. Al pratend was er zoveel herkenning. Juist Coby weet precies wat ik bedoel.’

Er steekt iets in haar.

‘Coby begrijpt me echt.’

Hij schijnt niet in de gaten te hebben dat zijn woorden haar met onbehagen vervullen. ‘En ik begrijp je niet?’ informeert ze voorzichtig.

‘Niet zoals zij. Jij komt uit een fijn gezin met ouders die alles voor je willen doen. Je probeert het wel te begrijpen, maar het zal je nooit helemaal lukken.’

‘Nou ja, als je het zo fijn vindt, moet je haar vragen of ze hier een keer komt.’

‘Wat is dat nu voor onzin? Ze ziet me aankomen.’

‘Ik vind het geen fijn idee dat je haar daar in die kroeg ontmoet,’ stelt ze resoluut. ‘Jij kunt dat normaal vinden, maar ik vind het raar.’

‘Jij houdt toch ook geen rekening met mijn gevoelens?’

Lia zucht.

‘Jij blijft ook gewoon naar mijn vader toe gaan,’ houdt Yannick aan.

‘Dat is niet te vergelijken.’

‘O nee? Daar heb ik anders moeite mee.’

‘Voor we trouwden, hebben we daar afspraken over gemaakt, weet je nog?’

‘Laten we maar ophouden. Voor we het weten, hebben we weer ruzie. Je moet in ieder geval niet denken dat Coby een bedreiging is. De kans is groot dat ik haar nooit weerzie. Zo vaak is ze niet in dat café.'

'Dat hoop ik dan maar.' Ze lijkt nog niet echt gerustgesteld.

'Bovendien ben jij veel mooier.' Hij legt zijn hand op haar blote arm.

'Je bent een slijmerd.'

'Nee, ik meen het echt.'

'Je wilt me afleiden.' Ze giechelt als hij haar zachtjes in haar hals kust.

'En heb je daar bezwaar tegen?' Hij schuift het smalle bandje van haar nachthemd naar beneden en streelt met zijn lippen haar schouder.

Ze krijgt geen gelegenheid meer om te antwoorden, want zijn lippen vinden de hare. Haar nachtpon belandt naast bed. Het lijkt allemaal weer gewoon goed.

7

Albert Kouwenaar knipt het licht in zijn zaak uit. 'Voor de laatste keer', dreint het in zijn hoofd. Steeds had hij dit moment uitgesteld. Inmiddels loopt het tegen negenen, het daglicht trekt zich langzaam terug. Ergens in het magazijn ligt het uithangbord dat hij ooit met zoveel blijdschap en goede bedoelingen aan de pui liet monteren. Alleen de kleurige letters op het raam laten zich niet zomaar verwijderen. 'Alberts Flowertheek' blijft nog even staan, ook als hij vertrekt. Ze lijken nu zijn teloorgang extra te benadrukken.

De laatste maanden waren niet makkelijk voor hem geweest. Hij maakte zich zorgen om Coby, die het bij z'n zuster niet naar haar zin leek te hebben. Hij miste haar. De avonden waren stil, hij at meestal snel een hapje bij het aanrecht. Er is niets aan om alleen te eten.

Steun vanuit het dorp kreeg hij niet. Wat waren de mensen hem hier tegengevallen. Hij leunt tegen de deurpost die het magazijn met de winkel verbindt en laat de afgelopen tijd nog eens de revue passeren. De winkel was steeds stiller geworden en hij meende zich eerst nog te verbeelden dat hij genegeerd werd. Later ontdekte hij dat er niet meer mét hem werd gesproken, maar des te meer óver hem. Hij schrok van de verhalen die hem ongewild ter ore kwamen. Er werd gesproken over schulden, wanbeleid en over zwart geld, maar dat waren de ergste roddels nog niet. Bepaald geschokt was hij door de insinuatie dat Coby was vertrokken omdat hij…

Zijn handen tasten alweer naar zijn pakje shag. Met trillende vingers draait hij een sjekkie. Hij was helemaal van slag toen hij het hoorde en besefte dat hij vrij machteloos tegen dit soort praatjes stond. Hoe durfden ze te denken dat hij Coby zoiets aan zou doen? Hij en z'n eigen dochter? Omdat ze samen zo lang onder één dak leefden? Welke zieke geesten verzonnen zoiets? Hij neemt een diepe haal van zijn sigaret.

Het was hem wel duidelijk waar die roddels vooral vandaan kwamen. Met Siggi was het niet meer goed gekomen. Ook dat had hem pijnlijk getroffen. Siggi was na het vertrek van Gerda bij hem gekomen. Hij wist van haar moeilijke omstandigheden na haar scheiding. Ze vertelde uitgebreid over haar drie opgroeiende kinderen die ze nu in haar eentje moest zien op te voeden. In betere tijden stopte hij haar wel eens wat extra toe. Dat ze het hem kwalijk nam dat hij haar nu haar salaris niet meer kon uitbetalen, begreep hij. Maar dat ze die roddels de wereld in hielp, kon hij niet bevatten.

Hij gaat voor het raam staan en kijkt uit over het plein van het dorp dat hem de afgelopen tijd vreemd is geworden. Ooit meende hij dat hij hier met zijn gezin gelukkig zou worden. Hij had er zijn uiterste best voor gedaan, maar hij bleek nu toch gewoon de buitenstaander te zijn gebleven, de Amsterdammer.

Ze wisten hem te vinden toen ze een sponsor voor de voetbal nodig hadden, hij leverde bloemen voor de kerk tegen een speciaal tarief en de kerststerren voor de ouderenmiddag van de kerk werden door hem betaald. Hoe had hij toch kunnen denken dat hij daarmee een van hen zou worden?

Zijn sjekkie is op. Zonder erbij na te denken, werpt hij de peuk op de grond en trapt die met z'n voet uit. Meteen haalt hij zijn pakje shag weer tevoorschijn en draait er nog een.

Zijn blik vat de letters op het raam, zijn naam in spiegelbeeld. Hier was het hem allemaal om te doen geweest. Met zijn naam op de winkelruit had hij gemeend dat hij iemand worden zou.

Met zijn vijftig jaar was hij een kind gebleven. Een kind dat goedkeuring van zijn ouders wilde. Een kind dat wilde dat zijn ouders net zo naar hem zouden kijken als naar zijn zus Agnes. Hij wilde laten zien dat zijn vader ongelijk had toen hij zei: 'Albert kennende, zal het wel weer een heilloze onderneming worden.'

Op een middag had hij zijn vader en moeder meegenomen naar dit dorp. Eerst hadden ze door de polder getoerd. Hij had onderweg tulpen voor hen gekocht. Verse tulpen, zo van het land.

Met spanning had hij gewacht op hun commentaar toen hij de auto parkeerde voor het kleine pand met de kleurige letters op de ramen en het uithangbord aan de gevel.

'Ik zou hier nog niet dood willen liggen,' zei zijn vader.

Zijn moeder zweeg, maar ze had geen zin om de winkel van binnen te bekijken. 'Er staan toch geen bloemen.'

Albert was blijven hopen op hun goedkeuring toen hij vanaf de winkel naar de woning reed die hij en Gerda hadden gekocht. In de ruime kamer stond een nieuw leren bankstel. Gerda had de koffie klaar, ze had voor gebak gezorgd. Hij was trots op het huis. Zijn ouders hadden er niets over gezegd.

Hoe komt het dat hij als een volwassen man toch als een kind bleef hopen op hun goedkeuring? Hij wist toch dat Agnes altijd op de eerste plaats kwam? Zo was het altijd geweest. Zo zou het altijd blijven. Agnes was de vervulling van hun droom. Zijn beide ouders kwamen uit een jongensgezin. Ze wilden allebei het liefst een meisje. Na zijn geboorte hadden ze even moeten slikken, maar daarna was hun wens uitgekomen.

Juist daarom was hij zo gelukkig toen Coby werd geboren. Het eerste kleinkind van zijn ouders en dan ook nog een kleindochter. Hij had erop gestaan dat ze naar zijn moeder werd vernoemd. Gerda protesteerde hevig, maar hij wist niet van wijken.

'We noemen haar Coby,' vertelde hij zijn moeder trots.

'Hoe kun je dat kind in vredesnaam Coby noemen? Ik heb altijd een hekel aan die naam gehad,' zei zij.

Twee jaar daarna kreeg de tweeling van Agnes en Adriaan prachtige namen. Ze werden de lievelingetjes van opa en oma. Daarom gebruikte hij de naam Jacoba voor zijn dochter. Hij weet dat ze een hekel aan die naam heeft, maar hij kan de roepnaam van zijn moeder niet meer over zijn lippen krijgen.

Binnenkort zal hij zijn ouders moeten vertellen dat hij weer heeft gefaald. Het zal geen nieuws voor hen zijn. Agnes heeft ze vast al bijgepraat. Als een voorbeeldige dochter bezoekt ze haar ouders wekelijks. Zou Coby ook wel eens mee geweest zijn?

Hij heeft haar in al deze weken nauwelijks gesproken. Als ze haar telefoon aanneemt, blijven hun gesprekken oppervlakkig en heel vaak negeert ze zijn telefoontjes.

Met een zucht maakt hij zich los van het raam. Nu moet het ervan komen. Zachtjes opent hij de deur om voor het laatst over de drempel te stappen.

Een lege bus rijdt het plein op. Even staat hij in het licht van de koplampen. De bus stopt bij de halte. Hij kijkt naar de chauffeur die een krant tevoorschijn haalt en het zich gemakkelijk maakt.

Dan sluit hij de deur en draait de sleutel om. De allerlaatste keer. Voorbij...

De chauffeur slaat de eerste pagina om. Albert loopt langzaam naar huis.

Coby is blij dat er aan het einde van elke week weer een vrijdag komt. Steeds vaker is ze in De Oude Herberg te vinden, waar ze vrijwel altijd Yannick ontmoet. Minder prettig is dat juist Yannick onbewust heeft gezorgd dat de vriendschap tussen Astrid en haar opnieuw behoorlijk bekoeld is.

Ze heeft Yannick op de mouw gespeld dat Astrid weinig tijd heeft om uit te gaan. In werkelijkheid heeft Astrid haar ongenoegen over Coby's vriendschap met Yannick geuit. 'Je liegt hem zomaar iets voor!' had ze Coby verweten. 'Hoe kom je erbij om hem op de mouw te spelden dat je vader aan de alcohol is? Als je zijn aandacht wilt, kun je toch ook wel iets anders verzinnen?'

'Ik wil zijn aandacht helemaal niet. De eerste keer dat ik hem ontmoette, ontglipte die opmerking over mijn vader me. Hij komt daar steeds op terug en ik vind het raar om nu ineens te zeggen dat het niet zo is.'

'Dan hoef je er toch niet van alles bij te liegen?'
'Misschien wil Yannick me wel helpen.'
'Hoe dan?'
Toen ze het hardop zei, vond ze het zelf ook wel raar klinken. 'Ik ga daar niet aan meewerken,' zei Astrid stellig toen ze uitgepraat was. 'En ik wil er net zomin getuige van zijn. Het valt me heel erg van je tegen.'
Astrid had makkelijk praten. De zelfingenomen manier waarop ze haar veroordeelde, maakte Coby op dat moment furieus. Voor ze het wisten, stonden ze tegen elkaar te schreeuwen. Daarna was het einde verhaal.
Coby hield tegenover haar oom en tante vol dat ze uit school naar Astrid ging, maar meestal hing ze eerst wat in Zwartburg rond, om vervolgens in De Oude Herberg op Yannick te wachten.
Ze mist Astrid, maar weet tegelijkertijd dat ze niet anders kan dan dit verhaal volhouden. Ze wil Yannick niet kwijt. De vrijdagavond is belangrijker voor haar geworden sinds ze hem treft. Soms is hij er niet. Dan voelt het alsof het een verloren avond is.
Hoe zou ze hem kunnen vertellen dat ze maar wat heeft zitten te fantaseren? Zei hij laatst niet dat hij het zo prettig vond dat hij juist dat met haar kon delen? Ze had zich er behoorlijk ongemakkelijk onder gevoeld. 'Zelfs Lia begrijpt me niet,' had hij verzucht. 'Ze probeert het wel, maar ze weet niet echt wat het is om een ouder te hebben die bijna nooit nuchter is. Ze kent de schaamte en de schande niet. Jij weet precies hoe dat voelt.'
Op dat moment had ze geen idee gehad hoe ze moest reageren, maar hij had haar zwijgen uitgelegd als een teken dat ze het er moeilijk mee had. 'Sorry, ik wilde je niet verdrietig maken.'
Yannick was zo puur, zo eerlijk en naïef. Hopelijk is hij er vanavond wel. Dat hangt altijd van Lia af, heeft hij haar uitgelegd. Als zij op vrijdagavond naar zijn vader of zus vertrekt, koerst Yannick direct richting De Oude Herberg. Lia

schijnt zich daarbij te hebben neergelegd. Coby is best benieuwd naar de vrouw van Yannick. Hij kan met zoveel warmte over haar praten. Ze kan daar jaloers op worden. Als er toch iemand zoveel van je houdt...

Astrid heeft makkelijk praten. Zij komt uit een warm nest. Zij wordt niet wekenlang bij een vreselijke oom en tante met afschuwelijke nichtjes geparkeerd. Zij wordt thuis niet als een onmondig kind behandeld.

Nou ja, haar langste tijd heeft ze hier wel gehad. Ze is ervan overtuigd dat het binnenkort anders wordt. Yannick heeft haar laatst verteld dat Lia aandrong om thuis eens kennis met haar te maken. Ze had natuurlijk niet te gretig gereageerd, maar ook niet direct afwijzend.

Wat Astrid er ook van denkt, zij moet aan haar eigen toekomst denken. Ze is niet van plan om nog heel lang bij dit zogenaamde modelgezinnetje te blijven. Ze heeft het hier helemaal gehad.

De gezamenlijke maaltijd in huize Braspenning betekent voor Coby altijd spitsroeden lopen. Ze spreekt zo min mogelijk en stemt in met de lofuitingen van oom Adriaan op de kookkunst van haar tante. Meestal komt ze op die manier dit moment van de dag redelijk goed door.

De tweeling heeft doorgaans het hoogste woord. Harma vertelt leuke anekdotes over school, waarin zij de hoofdrol speelt. Ella probeert haar te overtroeven. Oom Adriaan moet hartelijk lachen, tante Agnes hangt aan hun lippen.

Vanavond is het anders. Coby kan het niet precies onder woorden brengen, maar het is net alsof er iets in de lucht hangt. Ze is daarom niet echt verwonderd als tante Agnes plotseling haar bestek neerlegt en het woord tot haar richt. 'Vrijdagavond...' begint ze.

De toon waarop ze het zegt, alarmeert Coby. Zwijgend legt ook zij haar bestek neer.

'Of je plannen voor komende vrijdagavond hebt, weet ik niet. Ik weet wel dat ze geen doorgang kunnen vinden.'

'Ik heb met Astrid afgesproken,' sputtert ze tegen.

'Dat heb je niet,' hoort ze Harma nu zeggen.

'Je gaat nooit naar Astrid,' valt Ella haar bij.

'Je gaat zelfs helemaal niet meer met haar om. Op school zijn jullie nooit meer samen,' zegt Harma.

'Ontken het maar niet.' Ella kijkt haar hooghartig aan. 'Wij kennen Patrick Mijnheer.'

Patrick Mijnheer. Hij zit meestal alleen aan een tafeltje, maar hij zit wel bij hun in de klas.

'Je hebt ons voor de gek gehouden.' Oom Adriaan kijkt haar over zijn brilletje ernstig aan. 'Dat valt me zwaar van je tegen. Al die weken hebben we je opgevangen en jij liegt ons zomaar iets voor.'

Coby wil iets zeggen, maar ze slikt haar woorden in. Vier paar ogen kijken haar verwijtend aan. Alle verontschuldigingen voor haar leugens lijken op dit moment elke grond te missen. Ze zullen haar niet begrijpen als ze vertelt dat ze hier doodongelukkig is. Ze zullen blijven volhouden dat ze alles voor haar hebben gedaan.

'Vanaf nu is dat voorbij,' merkt tante Agnes ijzig op. 'Ik heb deze week contact gehad met mijn zwager Bastiaan, de broer van oom Adriaan. Naar aanleiding van mijn klacht dat het me allemaal een beetje te zwaar werd met een logee erbij, bood hij aan om jou tijdelijk op te nemen. Bastiaan en zijn vrouw hebben zelf geen kinderen...'

'Ik heb wel een vader.' Het is net of Coby niet goed kan ademen. Er klemt zich iets zwaars vast op haar borst. 'Ik kan gewoon naar mijn vader gaan.'

'Jouw vader heeft nog steeds andere zaken aan zijn hoofd,' weet tante Agnes. 'Toevallig heeft hij me deze week nog gebeld en hij heeft me gezegd dat ik maar moest doen wat me het beste leek.'

Coby kent Bastiaan en zijn vrouw, die erop staan dat ze hen oom Bastiaan en tante Tine noemt. Oom Bastiaan is een grote, grove vent met varkensoogjes, terwijl tante Tine dor en verzuurd oogt. Oom Adriaan heeft het altijd over 'mijn broer de journalist', hoewel Bastiaan nooit verder is gekomen dan zo nu en dan een artikel voor de lokale krant. Coby vindt hem gewoon een enge vent die haar met zijn scheve oogjes bepaald onrustig maakt. Hoe kan ze bij zo'n man in huis gaan wonen? Ze peinst er niet over. Niemand kan dat van haar verwachten. Wat denkt haar vader er eigenlijk van? Hij zal toch wel begrijpen dat ze nu eindelijk eens weer gewoon naar huis wil? Ze is toch geen klein kind meer dat maar overal gedumpt kan worden?

'Vanavond komen Bastiaan en Tine je halen.' Tante Agnes kijkt demonstratief op haar horloge. 'Over een uurtje kunnen ze er zijn.'

'En wat vindt mijn vader ervan?' probeert ze nog eens.

'Jouw vader? Kind, die broer van mij is allang blij dat hem de zorg nog even uit handen wordt genomen. Hij moet zijn leven weer op de rails zien te krijgen.'

'Dan ga ik naar mijn moeder.' Ze steekt haar kin naar voren.

'Succes!' zegt oom Adriaan cynisch. 'Ik vrees dat mijn gewezen schoonzuster niet thuis geeft, áls je al ontdekt waar ze gebleven is. Je moeder zit echt niet op je te wachten, dus doe nu maar rustig wat tante Agnes voorstelt. Bij mijn broer de journalist zul je het vast naar je zin hebben. Mijn schoonzus is niet echt een vrolijk type, maar ze zal je met liefde ontvangen.' Hij knikt haar toe alsof hij ook het beste met haar voorheeft.

'Wordt het eindelijk weer gezellig in huis,' verzucht Harma.

'Dat wil ik hier niet horen,' reageert tante Agnes, maar ze kijkt erbij alsof ze het er helemaal mee eens is.

'Mag ik van tafel?' Coby staat op. 'Ik moet mijn koffer nog inpakken.'

Even aarzelt tante Agnes, maar dan knikt ze zuinig. 'Het dessert sla je maar voor een keer over.'

Als Coby even later naar haar kamer loopt, weet ze zeker dat ze straks niet met oom Bastiaan en tante Tine zal meegaan. Ze zal hen niet eens meer treffen. Die gedachte lucht haar op, hoewel ze geen idee heeft hoe ze het nu moet aanpakken.

Twee uur later staat ze voor het huis met de kunstwerken in de tuin. Ze meende destijds werkelijk dat ze hier nooit meer een stap zou zetten. Hoe anders kan het leven lopen.

Als ze op de bel drukt, hoort ze voetstappen en even later kijkt ze in het gezicht van Almanzo. Hij is duidelijk niet blij met haar plotselinge verschijning.

'Jij weer?'

'Het is niet wat je denkt...' stottert ze.

'Ik denk dat jij hier voor mijn deur staat en dat je heel graag naar binnen wilt. Ik weet zeker dat ik dat niet laat gebeuren,' zegt hij hardvochtig. 'Ben ik niet duidelijk genoeg geweest? Ik dacht werkelijk dat ik van je af was. Hoe kom je er toch bij om me nu weer lastig te vallen?'

'Ik val je niet lastig. Ik wil niets van je, maar ik heb onderdak nodig. Laat me alsjeblieft vannacht in je atelier slapen, anders weet ik niet waar ik heen kan.'

'Voor één nacht?' Heel even lijkt Almanzo's vastberadenheid te wankelen.

'Ja, voor één nacht, dat denk ik in ieder geval.'

'Eén nacht,' houdt hij aan.

'Wat is er aan de hand, Manny?' In de hal verschijnt een struise vrouw die een bezitterige hand op zijn schouder legt. 'Krijgen we bezoek?'

'Dit is mijn nichtje,' zegt Almanzo, terwijl hij Coby waarschuwend aankijkt. 'Ze heeft problemen met haar ouders en wil nu een paar dagen bij me logeren.'

'Nichtje?' De vrouw neemt haar achterdochtig op, steekt dan toch haar hand uit. 'Ik ben Regina. Almanzo krijgt toch zeker geen problemen met je ouders als hij je hier onderdak geeft?'

Coby schudt haar hoofd. 'Ik blijf ook niet lang,' zegt ze. 'Zo gauw ik iets anders heb gevonden, peer ik 'm weer.'

'In dat geval kun je blijven. Doe je jas maar uit en zet je tas in het atelier.' Regina torent boven haar uit. Ze voelt zich daadwerkelijk het kleine nichtje van Almanzo. 'Ik zal je straks wat beddengoed geven. Je kunt op de canapé slapen.'

Het is duidelijk dat Regina hier tegenwoordig de leiding heeft. Met wiegende heupen loopt ze voor Coby uit naar het atelier. Daar ontdekt ze een levensgroot tweede exemplaar van Regina, vastgelegd in een bevallige pose op de canapé, waarbij een glanzende sjaal enige naaktheid verhult, maar lang niet alles.

'Mooi hè?' Regina staat trots naar zichzelf te kijken. 'Het schilderij is nog niet helemaal af, maar je kunt al zien dat het fantastisch wordt.'

'Ja, mooi,' stemt Coby met tegenzin in. Ze plaatst haar tas op de canapé die ook prominent op het schilderij figureert. 'Gaat Almanzo het verkopen?'

'Welnee, het wordt het pronkstuk van zijn expositie. Ik denk dat er veel animo voor zal zijn, maar hij heeft gezegd dat hij het niet wil verkopen.' Met haar ogen streelt ze het doek. 'Hij wil het zelf houden.'

'Dus die expositie komt er echt?'

'Natuurlijk komt die expositie er. Volgende maand moet het schilderij klaar zijn. Ik weet zeker dat Manny gaat doorbreken. Hij is zo'n groot talent.'

De manier waarop ze 'Manny' uitspreekt, doet Coby huiveren.

'En bovendien ben ik een bron van inspiratie voor hem,' vervolgt Regina. In een zelfverzekerd gebaar gooit ze haar lange, donkere haren naar achteren. 'Almanzo houdt van rijpe vrouwen, niet van meisjes.'

Coby slikt.

'Dus mocht je gedacht hebben dat je hem als zogenaamd nichtje kunt verleiden, dan heb je het verkeerd.' Haar donkere ogen, die uitbundig zijn voorzien van paarse oogschaduw, haken zich vast in die van Coby. 'Ik houd je in de gaten, en zodra ik ook maar iets van toenadering opmerk, vlieg je eruit.'

Coby wil iets zeggen, maar Regina legt haar met een handgebaar het zwijgen op. 'Ik weet niet hoelang je hier zult blijven, maar voor niks gaat de zon op. Je bent geen familie en wij zijn geen filantropische instelling. Waar je het vandaan haalt, weet ik niet, maar een financiële bijdrage is wel op z'n plaats.' Ze haalt diep adem. 'En nu gaan we naar de kamer om een flesje wijn open te trekken. Tegenover Almanzo geen woord hierover.'

Op haar hoge hakken torent ze boven Coby uit. De zwarte jurk sluit nauw over haar gebruinde huid. 'Magere spillepoot...' zegt ze minachtend voordat ze naar de kamer loopt om daar vol overtuiging tegenover Almanzo te beweren: 'Je nichtje en ik zullen het vast goed met elkaar kunnen vinden.' Ze geeft Almanzo een kus op zijn wang en laat haar hand over zijn borst glijden. Coby ziet hoe hij naar Regina kijkt. Ze slikt en probeert haar bonkende hart te negeren. Onderdak, dat is voor dit moment het belangrijkste. Als ze daarvoor een nieuwe liefde van Almanzo moet verdragen, dan is het niet anders.

Als ze op de donkerrode velours bank gaat zitten, probeert ze er niet aan te denken dat Almanzo haar juist op die bank een keer heeft gekust. Ze dacht toen nog dat hij het meende, dat hij echt van haar hield. Regina heeft gelijk. Ze is een naïef meisje gebleven. Geen wonder dat ze door iedereen als een kind wordt behandeld. Ondertussen lijkt Regina er geen genoeg van te krijgen om haar te vernederen. Nadat ze wijn heeft ingeschonken, zet ze zich zonder gêne met haar glas op Almanzo's schoot, die daar geen enkel probleem mee lijkt te hebben.

'Laten we klinken op de familiebanden.' Regina grijnst schaamteloos terwijl ze haar glas heft. 'Op je lieve nichtje, Manny.'

In de zak van Coby's spijkerbroek trilt haar mobiele telefoon. Ze negeert het, maar vraagt zich onderwijl af wie er nu weer belt. Tante Agnes heeft al drie keer van zich laten horen, maar ze is een volhouder en het is zeker niet ondenkbaar dat ze het nog niet opgeeft. 'Ik wil je zeggen dat ik dit heel onbehoorlijk gedrag van je vind,' had tante Agnes de eerste keer op haar voicemail ingesproken. 'Desondanks wil oom Bastiaan zich nog steeds over je ontfermen. Wees dus niet bang om naar huis te komen. Je krijgt geen straf. Integendeel, je krijgt een nieuwe kans.' De tweede keer was iets korter, terwijl haar derde boodschap bestond uit: 'Wees verstandig, kind. Kom naar huis.'

Ook haar vader stond inmiddels op de voicemail: 'Kind, laat alsjeblieft iets van je horen. Kom maar naar huis. Dat idee van Bastiaan was zeker niet mijn idee. Kom gauw thuis. We zullen het samen wel redden.'

Ze had hem een sms'je gestuurd waarin ze vermeldde dat het haar goed ging. Misschien zou ze hem later bellen. Voorlopig was ze niet van plan om terug te gaan, en zeker niet naar het gezellige gezinnetje van tante Agnes, nooit meer. Het gevoel van opluchting was niet te beschrijven toen ze met de bus naar de binnenstad was vertrokken, zo ongeveer op hetzelfde moment dat Bastiaan en Tine in hun slee voorreden.

Tegen de tijd dat haar mobiele telefoon voor de eerste keer aangaf dat haar vertrek niet onopgemerkt was gebleven, zat zij al in een kroeg. Stilletjes had ze achter een glas cola overdacht wat haar mogelijkheden waren en algauw wist ze dat alleen Almanzo uitkomst kon bieden.

'Proost,' zegt ze en ze heft ook haar glas. 'Op al mijn lieve familieleden.' Ze drinkt het glas achter elkaar leeg.

8

Lia kijkt naar het kleine staafje alsof ze het niet gelooft. Ergens welt iets in haar omhoog dat het midden houdt tussen verregaande onzekerheid en een diep gevoel van geluk. Ze kijkt nog eens naar de streepjes, het zijn er daadwerkelijk twee. 'Eén lijn is NIET zwanger', staat er in de bijsluiter, 'Twee lijnen is WEL zwanger'. Er staan daadwerkelijk twee lijnen. De tweede is wat vager dan de eerste, maar is toch duidelijk te zien. Ze herleest de bijsluiter. 'Ook als de testlijn maar heel licht van kleur is, is de uitslag positief.'

Er is geen twijfel mogelijk. Ze verwacht een kind. Onbewust legt ze haar handen op haar buik, die nog niets verraadt van nieuw leven. Ze werpt opnieuw een blik op het staafje en vraagt zich af wat Yannick ervan zal zeggen. Hij is bijna klaar met zijn studie en ze hebben wel eens gesproken over gezinsuitbreiding, maar het leek allemaal nog zo ver weg. Eerst moest Yannick afgestudeerd zijn, zodat zij wat minder kon gaan werken. Ze overwogen een ander huis te kopen. Ze hadden het idee dat ze nog zeeën van tijd hadden. Nu is ze zwanger. Onverwacht en ongepland. In haar groeit iets wat nog heel klein is, maar dat zal uitgroeien tot een mens, een klein mensenkind met een stukje van Yannick en een stukje van haar. Dat weegt op tegen alle onzekerheid die het met zich meebrengt. Als Yannick niet zo snel werk heeft, zal zij misschien naar een fulltimefunctie moeten solliciteren. Dat nieuwe huis moeten ze wellicht nog even in de ijskast zetten. Wat hindert het? In haar groeit een wonder. Yannick zal misschien even aan dat idee moeten wennen, maar ze weet zeker dat hij er dan toch ook het wonder van zal kunnen inzien.

Wanneer zal ze het hem vertellen? Direct als hij straks thuiskomt, of zal ze even wachten?

Vanavond als ze naar Felia is geweest? Hij gaat dan natuurlijk naar die kroeg. Als ze opblijft tot hij thuiskomt zal hij verrast zijn. Ze zal overal brandende waxinelichtjes in de kamer zetten, zodat hij weet dat er iets bijzonders aan de hand is. Dan zal ze het hem vertellen. Ze verheugt zich nu al op zijn verraste gezicht.

Meer dan een week is Jacoba nu weg en ze heeft niets van zich laten horen. Albert heeft zijn dochter dagelijks zeker tien keer trachten te bereiken. Steeds weer heeft hij de telefoon eindeloos over laten gaan, maar ze negeert hem, zoals ze dat de laatste tijd al steeds heeft gedaan. Ten einde raad had hij het briefje erbij gepakt dat hij al jaren veilig had opgeborgen. Hij was niet van plan geweest om er ooit iets mee te doen. Het was voor noodgevallen, voor als er iets met Jacoba aan de hand zou zijn en haar moeder op de hoogte moest worden gesteld.

Dit is een noodgeval, had hij zichzelf voorgehouden en daarom hoorde hij even later de stem van Gerda. Hij schrok zelf van de emoties die dat in hem losmaakte, waardoor hij nauwelijks in staat was om zijn boodschap over te brengen. Het voelde alsof hij nogmaals de verliezer was toen hij haar opbiechtte dat hij geen idee had waar hun dochter was nadat ze bij Agnes en Adriaan was weggelopen.

'Misschien lijkt ze dan toch meer op haar moeder dan je dacht,' had Gerda gezegd. 'En die moeder zou het ook niet in haar hoofd halen om hulp te vragen bij familie, dus Jacoba zit hier helaas niet. Ik moet je bekennen dat ik haar ook zeker niet zou overhalen om jou te bellen als ze op een later tijdstip wel arriveert.'

'Gerda, ik maak me werkelijk bezorgd. Meer dan een week geleden heeft ze me een sms'je gestuurd dat het goed met haar ging. Daarna heb ik niets meer vernomen.'

'Meen je nou werkelijk dat je haar wekenlang hebt gestald bij die fraaie zuster en zwager van je?'

'Ze heeft het daar goed gehad,' verweerde hij zich zwakjes.

'Dat geloof je toch zelf niet. Als er nog iets van zelfvertrouwen in dat kind zat, dan is dat er daar wel uitgestampt.

En vertel me eens waarom ze ervandoor is gegaan als ze het daar zo naar haar zin had?'

'Buiten mijn medeweten hebben Agnes en Adriaan besloten dat ze maar een tijdje naar de broer van Adriaan en zijn vrouw moest.'

'Je bedoelt toch niet die vreselijke Bastiaan met zijn verzuurde vrouw?'

Het is raar zoals die stem van Gerda hem nog altijd als muziek in de oren klonk, hoe cynisch en sarrend die op dat moment ook sprak. Was het mogelijk dat hij nog steeds van haar hield?

'Dat is het ergste wat een jonge vrouw kan overkomen,' was Gerda verdergegaan. 'Bastiaan is een jager die zijn prooi besluipt en die prooi bestaat altijd uit jonge vrouwen. Die vrouw van hem is niet voor niets zo bitter. Ik durf niet eens alleen met die man in één vertrek te zitten. Dat jij dat hebt toegelaten.'

'Ik wist er niets van,' had hij zich nogmaals trachten te verdedigen.

'Misschien is dat nog veel erger,' had Gerda gezegd. 'Je was natuurlijk weer zo druk met die zaak van je dat je kind erbij inschoot. Zo is het altijd geweest... De zaak, de zaak... Die zaak heeft ons allemaal kapotgemaakt.'

Ineens had hij bitterheid in haar stem gehoord. Hij was ervan geschrokken.

'Waar kan onze dochter zich ophouden?' was Gerda toen zachtjes verdergegaan en op dat moment had hij weer iets van verbondenheid tussen hen gevoeld. Samen hadden ze overlegd wat ze nu het beste konden doen, en Gerda had hem gevraagd goed na te denken over een eventuele verblijfplaats van Jacoba. Al pratend waren ze bij Almanzo uitgekomen, de man die hij nooit had ontmoet maar waar Jacoba een tijdlang vol van was geweest. Albert wist alleen nog dat hij een kunstenaar was die behoorlijk wat in leeftijd scheelde met Jacoba. Hij wist ook dat ze ineens niet meer over hem praatte. Nooit meer.

'Ging Coby weleens uit?' wilde Gerda nog weten, en op zijn bevestigende antwoord: 'Probeer er eens achter te komen waar ze dat deed. Geef me ook je e-mailadres maar. Ik zal eens kijken of ik iets van die Almanzo op internet kan vinden. Als ik iets vind, mail ik het je door. Op die manier moeten we erachter kunnen komen waar ze verblijft.'

'Ik maak me dodelijk bezorgd,' had hij gezegd.

'Ik ook. Ze is onze dochter en het enige wat ons nog bindt. Het enige, Albert. Verbeeld je niet dat onze contacten kunnen uitgroeien tot iets meer. Ik ben inmiddels getrouwd met een schat van een man met wie ik erg gelukkig ben.'

'Gelukkig', het woord hakte er bij hem flink in.

'Laten we elkaar op de hoogte houden als we iets horen,' had Gerda bij het afscheid gezegd. 'En denk voor deze keer nu eens niet aan je droomwinkel, maar aan je dochter.'

'Die zaak levert me tegenwoordig vooral slapeloze nachten op.' Het was hem ontschoten. Even was hij beducht dat ze weer zo'n zure opmerking zou maken, maar ze had alleen gezegd: 'Dat spijt me oprecht voor je.'

Toen had ze opgehangen.

Een paar dagen later was het mailtje gekomen met een link naar de site van Almanzo. 'Houd me op de hoogte,' had in die mail gestaan. 'Ik zal zelf ook kijken wat ik van hieruit kan doen.' De mail was beëindigd met: 'Liefs, Gerda.' Hij had een hele poos naar die woorden op zijn beeldscherm gestaard.

Albert had zichzelf daarna voorgehouden dat hij niets moest verwachten, dat Gerda inmiddels was getrouwd en dat het tussen hen nooit meer iets zou worden. Toch gaf het sobere contact met zijn ex-vrouw hem moed om zijn lijdzame bezorgdheid om te zetten in een actieve zoektocht naar Jacoba. Het was alsof daardoor de harde woorden van zijn zus en zwager naar de achtergrond waren gedrongen. 'Die dochter van jou redt het niet in het leven als ze steeds voor moeilijkheden wegloopt,' had Agnes gezegd. 'Naast dat ik het hoogst onbehoorlijk vind om Bastiaan voor niets te laten komen, voel ik me ook gegriefd. We hebben Coby als onze eigen dochter behandeld. Ik had op meer dankbaarheid gehoopt.'

Hij had nooit tegen Agnes op gekund. Het liefst zou hij haar nooit meer zien, net zoals hij dit dorp niet meer wilde zien. Hij zou Jacoba zoeken, net zo lang tot hij haar gevonden had. Daarna gingen ze samen terug naar Amsterdam, of waarheen Jacoba ook maar wilde, als ze dit dorp maar achter hen konden laten. 'Die zaak heeft ons allemaal kapotgemaakt,' had Gerda gezegd. Ze had gelijk. Ze had het grootste gelijk van de wereld. Veel zou er niet meer hersteld kunnen worden, maar hij zou doen wat er in zijn vermogen lag en daarom stond hij op deze vrijdagavond klaar om naar de stad te gaan waar hij in elke uitgaansgelegenheid zou zoeken naar Jacoba. Zijn dochter, de enige die er echt toe deed in zijn leven.

Soms voelt het alsof ze er niet mag zijn. Coby zit aan de bar van De Oude Herberg, maar vanavond neemt ze geen deel aan de gesprekken. Stilletjes nipt ze van haar bier, terwijl ze zich afvraagt of er ooit iemand gelukkig is geweest met haar komst. Haar ouders misschien na haar geboorte, maar lang heeft dat niet geduurd. Ze heeft in ieder geval niet kunnen verhinderen dat ze steeds weer ruziemaakten en dat haar moeder ervandoor ging.

Een moeder van niets was ze, die alleen maar aan zichzelf dacht. Haar vader was niet veel beter, al meende hijzelf dat hij anders was. Als hij werkelijk anders was, had hij haar niet ondergeschoven bij tante Agnes en oom Adriaan.

En zij had dat allemaal laten gebeuren omdat ze te goedgelovig was. Al die tijd had ze gemeend dat iedereen werkelijk het beste met haar voorhad.

Nu woont ze al meer dan een week bij Almanzo en Regina. Dat ze daar niet echt blij met haar zijn, is haar wel duidelijk geworden. Vooral bij afwezigheid van Almanzo moet ze het bezuren. 'Je moet zo snel mogelijk een kamer zoeken als je toch niet van plan bent om financieel bij te dragen,' hield Regina haar steeds weer voor. Ze wilde niets liever, maar hoe moest ze dat betalen? Met school was ze gestopt, maar ze zou werk moeten hebben, en hoe kwam ze aan werk?

Regina wist het wel. 'Schrijf je in bij het UWV, dat is het vroegere arbeidsbureau, of ga naar een uitzendbureau.'

Alsof het zo eenvoudig lag. Met haar niet-afgemaakte opleiding zaten ze echt niet op haar te wachten.

Niemand zit op haar te wachten. Zelfs Yannick laat het vanavond afweten.

Coby drinkt haar glas leeg. Ze houdt het omhoog voor Jeroen, de barkeeper.

'Nog maar eentje, Coby?' begrijpt hij, om daar vaderlijk aan toe te voegen: 'Maak je het niet te bont? Je bent nog jong. Je moet niet te veel drinken.' Het is toch te gek voor woorden dat die vriendelijke woorden haar de tranen in de ogen doen schieten?

Ze wrijft heftig over haar ogen en kijkt tersluiks of hij het niet heeft gezien. Hij glimlacht naar haar als hij het glas voor haar neerzet. Daarna wordt zijn aandacht getrokken door een andere klant.

Wat zoekt ze hier? Het ontbreekt haar zelfs aan geld om zich een stuk in de kraag te drinken. Ze kan maar beter gaan. Almanzo en zijn geliefde zijn weliswaar niet blij met haar, maar ze hebben haar ook de deur nog niet gewezen. De enige reden is waarschijnlijk het feit dat ze huishoudelijke klussen opknapt waar Regina een hekel aan heeft. Coby zucht. Misschien is het beter om nu maar te vertrekken. Wat moet ze hier nog, nu Yannick er niet is? Ze drinkt haar glas met grote slokken leeg en geeft aan dat ze wil betalen.

'Heb je het nu al op?' Jeroen fronst zijn wenkbrauwen. 'Krijg je ineens haast of zo?'

'Verplichtingen elders,' liegt ze, terwijl ze haar jack over haar schouder slaat.

'Doe voorzichtig,' waarschuwt hij nog en opnieuw ontroert het haar. Het moet niet gekker worden. Ze wordt een emotionele soepkip. Als ze door de klapdeuren wil gaan, die de hal scheiden van het café, worden die opengegooid en haar hoofd komt onzacht met het harde hout in aanraking.

'Idioot!' scheldt ze tegen de persoon die net binnenkomt en zich begint te verontschuldigen.

'Coby?' hoort ze dan ineens. Yannick staat er wat timide bij. 'Ik had het echt niet in de gaten. Je wilde toch niet weggaan? Kan ik je een drankje aanbieden om het weer goed te maken?'

'Ik weet niet,' zegt ze, hoewel ze best weet dat ze niets liever wil, dat ze hierop gewacht heeft. Ze wrijft over haar voorhoofd. 'Ik moet eigenlijk weg, maar ik ben een beetje duizelig.'

'Duizelig? Dan moet je misschien toch even gaan zitten.'

'Wat is er aan de hand?' Jeroen komt achter zijn bar vandaan. 'Het kwam behoorlijk hard aan, hè? Ga maar even zitten, meid. Zal ik een glas water voor je halen?'

Yannick schuift een stoel voor haar aan. Ze ziet hoe andere gasten naar hen kijken en hoe ongemakkelijk hij zich voelt. Ze buigt zich voorover met haar hoofd tussen haar handen.

'Je gaat toch niet flauwvallen?' Bezorgd legt hij zijn hand op haar schouder. 'Je moet echt even rustig aan doen, hoor. Zal ik je straks naar huis brengen?'

'Niet naar huis,' kreunt ze en ze duikt nog verder met haar hoofd tussen haar knieën.

'Waar moet ik je dan heen brengen?'

'Hier, meisje, een glaasje water.' Jeroen blijft op haar neerkijken. 'Het is harder aangekomen dan ik had gedacht,' hoort ze hem zeggen. 'Misschien moet je even met haar langs een dokter. Zal ik de dokterspost bellen?'

Yannick zit op zijn knieën naast haar. 'Zal ik de dokter bellen, Coby?'

Ze kreunt en schudt haar hoofd. 'Als ik maar even kan liggen.'

'Ik breng je naar huis,' beslist Yannick.

Iemand roept Jeroen om nog iets te tappen. Haastig verwijdert hij zich. Coby komt langzaam overeind. 'Alsjeblieft niet naar huis,' zegt ze zachtjes. 'Niet naar mijn huis, Yannick. Ik ben gevlucht. Mijn vader... Hij was zo agressief dat ik bang was... dat ik echt bang was dat hij mijn moeder...' Ze drinkt met kleine slokjes van het water.

'Je hebt een flinke buil op je hoofd,' constateert Yannick bezorgd. 'Wat had je nou over je vader? Is hij altijd agressief als hij drinkt? Slaat hij jou ook?'

'Soms...' Ze drukt een hand tegen haar voorhoofd. 'Meestal is het alleen mijn moeder en ze kan er niets tegen doen.'

'Ze kan hem toch verlaten?'

'Ze kan het niet, zegt ze. Ze beweert dat hij in zijn hart een beste man is en dat ze nog steeds van hem houdt.'

'Net zoals mijn vader,' zegt Yannick somber. 'Maar mijn moeder was niet agressief. Dit is nog erger. Wil je vannacht dan bij ons slapen?'

'Lia ziet me aankomen.' Het glas is leeg. Ze zet het met een klap op tafel.

'Lia heeft meer dan eens gezegd dat ze graag met je wil kennismaken. Ze zou het me kwalijk nemen als ik je tegen je zin naar huis zou brengen en helemaal als ik haar vertel wat jouw vader voor een man is. Waarom heb je me dat niet eerder verteld?'

'Met zulke dingen loop je toch niet te koop?'

'Nou, vannacht hoef je in ieder geval niet bang te zijn voor je vader en morgen zien we wel verder.' Hij is zo bezorgd dat haar alweer de tranen in haar ogen springen.

'Je hebt je echt flink bezeerd, hè?' legt hij haar emotie verkeerd uit. 'Het spijt me echt. Denk je dat je dat stuk naar mijn huis kunt lopen?'

'Nu begrijp ik waarom ze hier altijd zo verloren zit,' zegt Jeroen zachtjes. Hij heeft de klant snel geholpen en heeft bij terugkomst een deel van hun clausule opgevangen. 'Eerder kwam ze nog wel eens met een vriendin, maar die heeft het ook al laten afweten. Gek hè? Ze komt hier al een tijdje en ik heb het nooit geweten. Ik ben blij dat je haar meeneemt. Zulke kerels moesten ze naar Siberië sturen. Daar zijn ze niemand tot last als ze zich zo nodig een stuk in de kraag moeten zuipen. Walgelijk om dan je vrouw in elkaar te slaan. Onvoorstelbaar toch...' Hij helpt Coby in haar jack. 'Doe maar rustig aan, en als ik iets voor je kan doen...'

Yannick ondersteunt haar als ze naar buiten gaan. Bezorgd informeert hij nog eens of het wel gaat. Ze wilde echt dat ze niet zo jankerig was.

Albert heeft alle kroegen in de stad al gezien. Aan de discotheken heeft hij zich niet gewaagd. Tussen alle jongeren die zich in het uitgaanscircuit hebben gestort, ziet hij zich toch al behoorlijk zitten. Het is alsof iedereen hem aanstaart, en als hij naar Jacoba informeert, kijken ze hem aan alsof ze water zien branden. In de derde kroeg vond hij het tijd voor een glas wijn worden. Daar werd hij in ieder geval iets opgewekter van en kreeg hij moed om naar de vierde kroeg op te trekken. Onvoorstelbaar hoeveel kroegen deze stad rijk was en dat ze dan allemaal ook nog konden bestaan. Het was maar goed dat de hele mensheid niet was zoals hij. Jaren geleden was hij voor het laatst uitgegaan. Gerda was toen nog bij hem.

Gerda... Niet aan denken nu. Hij had in de kroegen erna ook wijn gedronken. De kwaliteit was heel divers, maar hij dronk met grote slokken en langzamerhand was zijn kroegentocht hem minder zwaar gevallen. Hij praatte ook wat makkelijker naarmate de avond vorderde. Het is inmiddels over twaalven en het lijkt of het steeds drukker wordt. Rare gewoonte toch om pas tegen middernacht uit te gaan. Als jongeman was hij tegen twaalf uur gewoon thuis.

Jacoba wilde ook altijd laat uit. Hij had haar dat verboden, maar ze had zo haar eigen wegen om toch haar zin door te drijven. Jacoba... hij moest niet uit het oog verliezen waarom hij hier was. Nog één café zou hij aandoen. Daarna was het voor vandaag wel genoeg. Hij zou Jacoba nu toch niet meer vinden. *De Oude Herberg*, staat er in flitsende letters op het uithangbord. De naam zegt hem wel iets, maar zijn benevelde brein weigert de juiste herinnering op te halen.

Hij wankelt naar binnen, valt bijna over een stoelpoot, maar weet zich te herstellen. Hij is niet dronken, hij is niet aangeschoten, hij kan heel goed tegen wijn. Met een brede glimlach zet hij zich aan de bar, tussen twee aantrekkelijke vrouwen in. Laat hij nou ook eens geluk hebben.

'Glaasje rode wijn...' zegt hij, terwijl hij zijn onwillige tong in bedwang probeert te houden. Jammer dat die vrouwen allebei met een man in gesprek zijn en hem de rug toekeren. Misschien ontdekken ze later zijn charme alsnog. Hij moet er zelf om lachen. Hij en charme. 'Hoe kunnen twee knappe verschijningen als wij zijn toch aan zo'n lelijk kind komen?' was vroeger een regelmatig terugkerend grapje van zijn vader geweest. Hij had als jongetje al geweten dat het niet werkelijk een grapje was.

De barkeeper zet een glas rode wijn voor hem neer en wil weer weglopen. 'Meneer!' met een luide schreeuw houdt Albert hem van zijn voornemen af.

Onwillig buigt Jeroen zich naar hem toe. 'Wilt u nog iets anders?'

'Mijn dochter. Ik wil mijn dochter terug,' lalt Albert. 'Hebt u mijn dochter Jacoba gezien?'

'Nee, het spijt me.' Jeroen wil zich omkeren, houdt dan in. 'Jacoba zei u?'

Hij kijkt Albert strak aan.

'Ze wil niet dat ik haar zo noem,' bekent Albert. 'Ze heet eigenlijk Coby, maar ik noem haar Jacoba. Ze is mijn oogappel en ze was zomaar ineens weg. Ik wil haar terug.'

Jeroen grist het glas wijn van de bar weg. 'Rot op,' sist hij. 'Maak dat je wegkomt voordat ik je eruit smijt.'

De vrouwen naast Albert keren zich nu wel om. Ook de mannen daarnaast zijn plotseling geïnteresseerd.

'Ik wil je hier niet meer zien. Nooit meer.'

'Maar… ik snap het niet.'

'Je snapt het niet? Moet ik je dat nog bijbrengen? Van mannen zoals jij moet ik helemaal niets hebben. Helemaal niets, hoor je. En nu wil ik dat je hier verdwijnt.'

'Moeten wij je helpen, Jeroen?' informeert een van de heren.

'Als meneer zelf geen aanstalten maakt wel.'

Verbouwereerd laat Albert zich van de kruk zakken. Hij is in één klap nuchter.

'Als ik je hier nog eens zie, stuur ik de politie op je af. Die weten wel raad met mannen zoals jij,' roept Jeroen hem nog na. Iedereen kijkt als hij tussen de tafeltjes en de barkrukken door loopt in de richting van de uitgang. Hij is blij als hij buiten is, maar hij snapt er werkelijk helemaal niets van.

De avond is helder, een volle, ronde maan verlicht de straten als Lia langzaam vanaf de flat van Felia naar huis fietst. Ze had een gezellige avond bij haar schoonzus doorgebracht, maar haar gedachten waren er niet echt bij. Steeds had dat grote geheim in haar hoofd gezongen. Haar geheim. Nog met niemand gedeeld. Ze zou het nog even voor zich willen houden en tegelijkertijd popelt ze om het ook aan Yannick te vertellen. Op haar horloge ziet ze dat het halfelf is. Meestal komt hij pas tegen halftwaalf thuis, af en toe zelfs later. Ze hoopt maar dat hij nu een beetje op tijd is. In de kelderkast heeft ze zorgvuldig een nieuwe zak waxinelichtjes verborgen. In gedachten ziet ze zijn verraste gezicht al voor zich. Daarna zal de verrassing nog groter worden, als ze hem vertelt dat ze vader en moeder zullen worden. Vader en moeder van een kind. Hun kind. Ze proeft de klank op haar tong. Samen zullen ze verantwoordelijk zijn voor het leven van een klein jongetje of meisje. Hun zoon of dochter.

Maar als Yannick er nu niet zo blij mee is als zij?

Die gedachte schiet haar ineens weer te binnen en benauwt haar. Er is geen weg terug. Dit kind zal geboren worden en hun zorg nodig hebben. Ze zullen verantwoordelijk zijn en blijven. Zij zullen ervoor moeten zorgen dat het later kan terugkijken op een gelukkige jeugd.

Ze haalt diep adem en trapt sneller. De waxinelichtjes moeten brandend op tafel staan als Yannick thuiskomt.

Lia had nooit geweten hoe zwaar teleurstelling kan wegen. Uit de verte had ze het licht in hun kamer al zien branden. Dat had haar gealarmeerd en ze had koortsachtig overdacht hoe ze haar plannen kon bijstellen. Misschien moest ze die waxinelichtjes dan maar laten zitten en gewoon gezellig wat met Yannick gaan drinken. Door het achterraam ontdekte ze twee personen in de kamer en ze had direct geweten dat Yannick juist vanavond Coby mee naar huis had gebracht. Terwijl ze haar fiets in de schuur zette, trachtte ze de teleurstelling te overwinnen, maar het lukte niet echt. Ze had meer dan eens aan Yannick gevraagd om kennis te mogen maken met Coby, maar waarom had hij haar juist vanavond meegenomen?

De reden was haar snel duidelijk geworden. Met gedempte stem had Yannick het haar in de keuken uitgelegd. 'Ze kan echt niet naar huis, Lia. Jij wilt het toch niet op je geweten hebben dat die vader haar in elkaar slaat?'

'Hoelang moet ze hier dan blijven?' had ze met de moed der wanhoop gevraagd. In de kamer klonken de voetstappen van een jonge vrouw die ze alleen uit de verhalen van Yannick kende. Op iedere andere avond was het goed geweest, maar vanavond niet.

'In ieder geval vannacht,' bedisselde Yannick. 'Kan ze van jou een nachtpon of T-shirt lenen? En er ligt nog een nieuwe tandenborstel in de badkamerkast, heb ik gezien. Voor één nachtje kan ze toch wel blijven?'

'Voor één nachtje wel,' had ze toegestemd. Daarna had ze ook echt geprobeerd om aardig tegen Coby te zijn, maar een vaag gevoel zei haar dat dit niet na één nacht ten einde zou zijn en misschien maakte dat de teleurstelling wel zo zwaar.

9

Op zaterdagmorgen slapen ze altijd uit. Yannick houdt dat meestal het langste vol, maar vanmorgen is hij het eerst beneden. De geur van broodjes in de oven trekt naar boven en Lia hoort al stemmen in de keuken. Ze draait zich om en tracht de opgewonden blijdschap van de vorige dag te voelen.

Beneden klinkt heel luid de lach van Yannick.

Hij weet het nog niet.

Nog steeds is het geheim alleen van haar.

Ze wordt moeder, houdt ze zichzelf voor. Toch wil dat intense gevoel van geluk maar niet terugkomen. Het is net alsof de stemmen van Yannick en Coby beneden dat verhinderen. Ze kan maar het beste opstaan. Traag komt ze overeind. Waar zouden ze beneden over praten? Over de vader van Coby? Over Bodil?

Die gedachte steekt haar, en ze krijgt ineens haast om onder de douche te komen.

Yannick lijkt echt blij met haar aanwezigheid. Fluitend haalt hij de broodjes uit de oven. Coby heeft hem geholpen met het dekken van de ontbijttafel. Ze zet de kan thee op het lichtje en kijkt toe hoe hij de eieren uit het water haalt en afdroogt voordat hij ze in de eierdopjes plaatst. Zo heeft ze zich altijd voorgesteld dat een thuis hoorde te zijn, zo huiselijk, zo gezellig.

Boven klinken de voetstappen van Lia. Ze weet niet zo goed wat ze van de vrouw van Yannick moet denken. Uit zijn verhalen had ze begrepen dat Lia heel aardig was, maar gisteravond leek ze nogal gereserveerd.

'Wat hebben jullie het gezellig gemaakt.' Lia staat in de deuropening. 'Dat ben ik op zaterdagmorgen helemaal niet gewend.' Ze glimlacht naar Coby, gaapt verstolen achter haar hand. 'Je moet me maar niet kwalijk nemen dat ik nog niet helemaal uitgeslapen ben.'

Bewonderend werpt Coby een blik op het lange haar van Lia dat over haar rug golft. Haar eigen rood geverfde, korte kapsel lijkt ineens alledaags.

'Ik ben ook nog best een beetje moe,' bekent Coby.

'Je hebt gisteren een emotionele dag meegemaakt. Doe het vandaag nog maar een beetje rustig aan. Je zit ons niet in de weg.' Yannick knipoogt naar haar.

'Is het niet verstandig om je ouders even te bellen om hun te vertellen dat je hier hebt geslapen?' Lia aarzelt even. 'Je kunt natuurlijk vanavond wel vertellen dat je hier bent geweest, maar ze zullen vast ongerust zijn.'

Haar stem klinkt aardig, maar Coby heeft er doorheen leren kijken. Ze knijpt haar handen samen. 'Mijn ouders zijn nooit ongerust,' zegt ze. Haar stem klinkt hees. 'Ik bel ze niet want mijn vader zal me koste wat het kost hier vandaan willen halen.'

'Als je vanavond weer naar huis gaat, zal hij hier toch niet naartoe vliegen?' meent Lia. Ze negeert de waarschuwende blik van Yannick. 'Misschien moet Coby hier nog maar een nachtje blijven,' merkt hij op.

'Ik wil jullie niet tot last zijn,' zegt Coby zo timide mogelijk. Haar blik bestudeert het laminaat op de grond.

'Je bent ons helemaal niet tot last,' beweert Yannick. Coby onderschept de blik die hij nogmaals op Lia werpt. Ze voelt de onderhuidse spanning.

'Ik wil geen onenigheid tussen jullie veroorzaken,' zegt ze haastig.

'Daar is geen sprake van.' Lia knikt haar vriendelijk toe. 'Je kunt natuurlijk nog een nachtje blijven, maar ik wil wel graag dat je je ouders op de hoogte stelt. Ze hoeven niet te weten waar je bent, maar vertel hun dat het goed met je gaat.'

Hulpzoekend kijkt ze naar Yannick, maar hij knikt opgelucht. 'Dat lijkt me een prima idee.'

'Ik weet niet...' Coby volgt het voorbeeld van Lia die aan tafel is gaan zitten. 'Ze kunnen me dan toch traceren, de politie, bedoel ik.'

'Na wat ik erover van Yannick heb gehoord, geloof ik niet dat jouw ouders de politie zullen inschakelen. Dan hebben ze zelf ook nog wel het een en ander uit te leggen,' meent Lia stellig en opnieuw knikt Yannick instemmend.

'Na het eten zal ik bellen,' geeft Coby met tegenzin toe, maar als ze even later haar ei afpelt, schiet haar een beter idee te binnen. 'Ik stuur ze wel een sms'je.'

'Als je dat dan maar echt doet,' geeft Lia toe.

'Je vertrouwt haar toch wel,' zegt Yannick verontwaardigd. 'Waarom zou ze het niet doen?'

'Na het eten schrijf ik direct een berichtje.' Coby probeert heel eerlijk te kijken. 'Niet voor m'n vader, hoor, maar voor m'n moeder.'

Ze liegt niet. Ze zal het opstellen, maar nooit versturen. Yannick is nog veel makkelijker om de tuin te leiden dan ze hoopte.

Zijn hoofd bonst bijna misselijkmakend. Het duurt even voordat Albert doorheeft dat er op het raam van zijn kamer gebonkt wordt. Iemand roept zijn naam. Moeizaam gaat hij rechtop zitten. Hij verbaast zich erover dat hij op de bank in de huiskamer heeft geslapen, maar langzaam maar zeker glijden de gebeurtenissen van de avond ervoor weer zijn hoofd binnen. Hij kreunt, brult verstoord dat het gebonk op moet houden, maar die boodschap schijnt niet over te komen. Zuchtend staat hij op om naar de voordeur te lopen. Hij wil de veroorzaker van het lawaai tot de orde roepen, maar zwijgt als hij in Gerda's gezicht kijkt.

'Dus dit noem jij ongerust zijn over je dochter,' bijt ze hem toe, en ze stapt langs hem heen de gang in. 'Je hebt je gisteravond goed vol laten lopen. Ik hoop dat je zo verstandig bent geweest om niet met de auto naar huis te rijden?'

'Ik ben met de taxi gekomen,' zegt hij, terwijl hij over zijn zere voorhoofd wrijft en zich tegelijk afvraagt waar hij in vredesnaam zijn auto de avond ervoor geparkeerd heeft.

'En ben je er nog iets mee opgeschoten?' wil ze nu weten.

'Ben je Coby tegengekomen, heb je mensen ontmoet die haar kennen en weet je waar ze zich ophoudt?'

'Nee, nee, en nee,'

'En toen dacht jij dat je er wel een feestelijke avond van kon maken?'

'Ik kan er niet zo goed meer tegen.' Hij heeft een afschuwelijke smaak in zijn mond. Waarom moet Gerda hem nu juist zo zien? Ze is mooi als altijd, perfect opgemaakt, goed gekleed. Hoe komt het toch dat hij overal de verliezer is?

'Zo feestelijk was het niet,' bromt hij verder. 'Ik ben het ontgroeid, het gehang in zo'n kroeg.'

'Dus je hebt echt elke kroeg in Zwartburg gehad en er is je niets bijzonders opgevallen?'

Moet hij haar nu vertellen van die laatste kroeg? Van die jongen die witheet werd nadat hij naar Jacoba vroeg? Hij aarzelt even, besluit dan te zwijgen. Het was vernederend genoeg zonder dat Gerda ervan weet. Het was een vreemde reactie van die man en hij kreeg sterk het vermoeden dat hij iets van Jacoba wist, maar waarom werd hij dan zo kwaad? Had Jacoba hem iets op de mouw gespeld? Ze had een rijke fantasie, daar was hij al eens vaker achter gekomen. Hopelijk heeft ze het verhaal niet al te bont gemaakt, maar als hij aan de reactie van die barkeeper denkt, vreest hij het ergste. In ieder geval gaat hij er nooit meer naar binnen. Misschien kan hij een paar avonden gaan posten in de hoop dat die man niets tegen Jacoba heeft gezegd.

'Albert, ben je in slaap gevallen?' Gerda port hem aan de schouder. 'Misschien moet je eerst even douchen en schone kleren aantrekken. Je loopt erbij als een zombie en het ruikt hier ook niet echt fris.' Hij had altijd alles gedaan wat Gerda vroeg. Alleen die bloemenzaak had hij tegen haar zin doorgezet. Hij had ook toen naar haar moeten luisteren. Dan zou hij nu nog een gezin hebben gehad.

'Schiet een beetje op,' maant ze hem, terwijl ze een raam openzet. Er is nog niets veranderd. Zwijgend vertrekt hij naar boven.

Onder de douche wordt hij weer mens. Nevels trekken op, zijn gedachten worden weer helder. Als hij even later beneden komt, heeft Gerda koffiegezet en een paar boterhammen gesmeerd. Ze zit met kousenvoeten op de bank, haar hooggehakte schoenen liggen er achteloos naast. Hij weet nog precies hoe ze haar schoenen bij thuiskomst altijd direct uitschopte. Alsof ze zich dan pas echt thuisvoelde.

Het ontroert hem om haar nu weer op de bank te zien zitten met haar gebruinde benen onder zich, alsof alles bij het oude is gebleven. Het valt hem ineens op hoeveel zijn dochter op haar moeder lijkt, al heeft Jacoba zijn donkere ogen.

'Zullen we nu even ophouden met dromen en doorgaan met waar het werkelijk om draait?' informeert Gerda hardvochtig. 'Soms heb ik het gevoel dat je niet in staat bent om van wie dan ook te houden. Coby is weg, er kan haar van alles overkomen zijn en jij zit hier alsof er niets aan de hand is.'

'Jacoba vindt altijd de juiste mensen,' verweert hij zich. 'Ze is heel zelfstandig.'

'En hoe komt het dat ze zo zelfstandig is?'

Hij zwijgt.

'Ik zal je helpen,' zegt ze. 'Dat komt omdat jij altijd met die ellendige winkel van je bezig was. Alles was ondergeschikt aan 'Alberts Flowertheek'. Die naam was destijds het idee van Coby, weet je nog? Ze deed als kind haar uiterste best om een beetje aandacht en waardering van je te krijgen. Ik heb wel eens gedacht dat het jammer was dat ze geen potplant was, dan had ze zich zo af en toe een beetje in je aandacht mogen verheugen.'

'Overdrijf niet zo,' reageert hij geprikkeld.

'Je weet dat ik niet overdrijf. Alles moest wijken voor die winkel van je. Jij ging nooit mee naar de ouderavonden, je had geen tijd om op vakantie te gaan en zelfs in de weekenden was je te druk om ook maar iets met je dochter te ondernemen. Dat is niet veranderd nadat ik weg ben gegaan, is het wel?'

'Jíj bent weggegaan!' schreeuwt hij beschuldigend. 'Jij

hield het hier niet meer uit. Jij moest zo nodig terug naar Amsterdam. Voor Jacoba was daar geen plaats. Je hebt niets meer van je laten horen.'

'Nu verdraai je de zaken!' Gerda verheft haar stem ook. 'Je weet heel goed dat jij niet wilde dat ik haar naar Amsterdam haalde. Ze zou hier in het dorp veel gelukkiger zijn. Bovendien stookte je Coby op, zodat ze geen contact met me wilde! Jij...! Jij...' Ze houdt ineens op. 'We zijn weer waar we altijd eindigden, hè?'

Hij drinkt zwijgend van zijn koffie.

'Ja, dan zeg je niets meer. Dat ken ik ook heel goed van je. We hebben elkaar altijd van alles verweten en het eindigde altijd met jouw zwijgen. Misschien hadden we Coby niet moeten krijgen. Ze zou in ieder geval beter af geweest zijn als wij er niet waren geweest.'

'Zeg dat niet, ik houd van mijn dochter.'

'Je weet niet eens wat houden van is,' zegt ze laatdunkend.

'Alsof jij niet alleen aan jezelf denkt.'

'Hier komen we niet verder mee,' constateert Gerda. 'We moeten Coby nu in ieder geval op de eerste plaats stellen. Jij hebt gisteravond zonder succes alle kroegen bezocht waar ze zich zou kunnen ophouden. We zijn er tot dusver van uitgegaan dat ze zich in Zwartburg zou bevinden, maar ze kan natuurlijk net zo goed naar Amsterdam zijn gegaan. Soms vraag ik me af of we de politie niet moeten inschakelen.'

'Jacoba is achttien.'

'Daarom kunnen we ons toch wel zorgen maken?'

'Heb je haar al eens gebeld?' wil Gerda ineens weten.

'Waar zie je me voor aan? Ik heb haar de afgelopen tijd steeds weer gebeld, maar al tijden neemt ze haar telefoon niet op. Je wilt niet weten hoe vaak ik op haar voicemail sta. Ze reageert niet.'

'Op mij reageert ze net zomin. M'n eigen schuld misschien, ik reageerde meestal ook niet op die van haar. Richard heeft het niet graag.'

'Richard? Is dat je man?'

Ze knikt. 'Hij is een schat, hoor, maar met sommige dingen heeft hij moeite. Coby zal ook nooit bij ons kunnen wonen. Richard kan daar niet tegen.'

Albert wil uitvallen, maar hij houdt zich in. Alles draait nu om Jacoba. Richard komt later wel.

'Laten we het blijven proberen,' stelt hij voor. 'Misschien komt er een dag dat ze toch opneemt. We moeten de hoop niet verliezen. Ze zal op een dag toch naar haar ouders gaan verlangen?'

'Vast,' zegt Gerda, maar het klinkt weinig overtuigend.

Hun slaapkamer is nooit helemaal donker vanwege de straatlantaarn die vlak voor hun huis staat. Yannick staart vanuit zijn bed naar de gesloten lamellen die het meeste licht buitensluiten. Hij luistert naar de rustige ademhaling van Lia. Zelf kan hij de slaap niet vatten. Het is verbazingwekkend wat de komst van Coby allemaal in hem heeft losgemaakt.

Hij merkt hoe weinig ze kwijt wil over haar vader en herkent zichzelf daarin. Wat had hij in zijn leven veel gezwegen. Over de situatie thuis, over de ruzies tussen zijn ouders, over zijn angsten en schaamte. Al vanaf het begin wist hij precies wanneer zijn moeder gedronken had. Hij zag het aan haar blik, hoorde het aan haar stem, al deed ze nog zo haar best om het niet te laten merken.

Lia draait zich om, maar lijkt door te slapen. Hij kijkt naar haar vage silhouet. Vanmiddag stemde ze toch ineens in met een extra nachtje voor hun logé. Coby was er rustiger van geworden. Ze praatte weliswaar niet veel, maar ze leek minder gespannen. Het is gek zoals je met een alcoholist als ouder altijd op je hoede bleef. Hij herinnert zich nog hoe hij uit school kwam en door het raam keek of hij al kon zien hoe de vlag erbij hing. Had zijn moeder gedronken of was het haar gelukt om dat nog even uit te stellen? Als hij inschatte dat ze te veel ophad of haar op de bank zag liggen, dan sloop hij naar boven zonder iets te drinken. Meestal lukte dat. Een enkele keer had ze het in de gaten. Hij had er een gruwelijke hekel aan als ze dan verontwaardigd naar boven kwam om hem met allerlei verwijten om de oren te slaan. 'Denk je dat ik geen thee meer kan zetten? Wil je me nog eens inwrijven dat ik een slechte moeder ben? Je denkt zeker weer dat ik dronken ben!'

Hij draait zich op zijn andere zij. Het is alsof ze in de slaapkamer staat en haar verwijten op hem neerdalen. 'Je vindt me een waardeloze moeder. Zeg het nu maar gewoon! Je vindt me een waardeloze moeder!'

Ze was niet agressief en toch joeg haar houding hem in zo'n bui angst aan. Het lag aan de manier waarop ze naar hem keek, het lag aan haar ogen, aan de manier waarop ze steeds diezelfde zinnen bleef herhalen: 'Een waardeloze moeder!'

'Kun je niet slapen?' Lia legt haar hand op zijn schouder. Ze kruipt wat dichter naar hem toe. Hij voelt haar borsten tegen zijn rug, haar hand op zijn buik. 'Ik ben bij je,' hoort hij haar fluisteren en er spreekt zoveel warmte en tederheid uit haar stem. Hij glimlacht en voelt haar rust op zich neerdalen. Het duurt niet heel lang voordat hij slaapt, terwijl Lia met wijd open ogen in het donker blijft staren.

'Lieve Coby, met mama. Het is al heel lang geleden dat wij elkaar hebben gezien of gesproken en dat spijt me oprecht. Papa heeft me gebeld omdat hij geen idee heeft waar je uithangt. Hij maakt zich erg bezorgd om je, en ik trouwens ook. Lieve Coby, dit is nu al de derde keer dat ik op je voicemail inspreek en ik hoop echt dat je nu terugbelt. Je mag naar Amsterdam komen als je dat wilt, maar bel me dan nu zo snel mogelijk. Dikke kus van mij.'

Onder in Coby's tas zwijgt haar mobiel. Met een druk op de knop heeft ze al veel eerder op de dag elke toenaderingspoging een halt toegeroepen.

'Kan ze niet nog één nachtje blijven? Eén nachtje maar.' Yannick heeft zich met Lia op de bovenverdieping teruggetrokken. 'Je hebt toch gemerkt hoe fijn ze het vindt? En jij vindt haar toch ook aardig?'

'Het is genoeg.' Lia's stem klinkt vastbesloten. 'Ze weet dat ze hier kan aankloppen in geval van nood, maar ze is al een dag langer gebleven en ze kan hier niet bij in komen wonen. Dat weet zij en dat weet jij ook. Er komt toch een dag dat ze terug naar huis moet en of dat nu is of over een maand, dat blijft moeilijk.'

Hij weet dat het geen zin meer heeft om nog langer te soebatten. Haar gezicht staat strak, in niets lijkt ze nu op de zachtaardige vrouw van de nacht ervoor.

'Ga nu maar gauw naar beneden. Coby weet heus wel dat we het over haar hebben,' zegt ze en met hoekige gebaren begint ze hun bed op te maken.

Hij zucht voordat hij naar beneden gaat, probeert zijn emoties de baas te worden. Lia heeft hem wel eens gezegd dat hij een zacht ei is. Vandaag heeft ze gelijk. Hij vindt het belachelijk moeilijk om Coby te vertellen dat ze nu echt moet gaan.

Als hij de kamer in komt, staat ze voor het raam naar de tuin te kijken. 'Zo schattig, die meesjes,' hoort hij haar vertederd zeggen. 'Ze vliegen af en aan om hun jongen te voeren, en weet je dat daar in die hoge els achteraan putters zitten? Wat een prachtig gezicht, al die vogels.'

'Ja, daar kan ik ook heel erg van genieten,' stemt hij met haar in, terwijl hij naast haar gaat staan om de verrichtingen van het koolmezenpaar gade te slaan, dat een plek heeft gevonden in het vogelhuisje dat Lia vroeg in het voorjaar aan de schutting heeft opgehangen.

'Ik kan hier uren naar kijken,' zegt ze zacht en ze draait zich dan naar hem toe. 'Maar daar heb ik geen tijd meer voor, want ik ga naar huis.'

'Tja...'

'Het is niet erg,' voegt ze eraan toe. 'Ik moet toch een keer terug.'

Haar bruine ogen kijken hem doordringend aan. Ze lijken

nog groter door de donkere randen die ze er rondom getekend heeft. Haar gezicht is bleek en hij ziet aan de uitgroei dat haar haren van nature ook donker zijn.

'Vreemd, dat je je zo snel aan mensen kunt hechten.' Ze veegt langs haar wang. 'Het is net alsof ik jullie veel langer ken.'

'Als het niet lukt, kom je gewoon weer hier.'

Coby glimlacht een beetje triest. 'Dat zou Lia niet prettig vinden.'

'Dat lijkt maar zo. Lia heeft een hart van goud. Je moet haar eerst even leren kennen en zij moet jou wat beter leren kennen. Ik weet zeker dat ze het me met eens is. Ze zei het net boven nog.'

Lia's voetstappen klinken op de trap.

'Leugenaar!' Coby geeft hem een kus op de wang. 'Ik kom wel als het nodig is, als ik het echt niet uithoud.'

'Of als je vader weer agressief wordt. Beloof je dat?'

'Ja,' zegt ze zacht. 'Dat beloof ik.'

Ze zou er zoveel voor overhebben om hier niet weer te staan. Coby kijkt naar de deur, naar de kunstwerken in de tuin. Ze haalt diep adem voordat haar vinger naar de bel gaat. Op deze momenten voelt ze zich altijd klein. Dat gevoel wordt nog versterkt als Almanzo breeduit in de deuropening staat, zijn armen voor de borst gevouwen.

'Kijk eens wie we daar hebben?'

'Het is weer tijd om de badkamer te soppen.' Ze probeert er heel opgewekt bij te kijken.

Het ontlokt hem een luide lach. 'Zo'n goeie hebben we nog niet gehad. Waarom zou jij de badkamer moeten soppen?'

'Omdat Regina daar de pest aan heeft,' zegt ze brutaal. 'Ik weet dat ze dolblij zal zijn om me weer te zien.'

'Dat geloof ik helemaal niet,' reageert Almanzo, maar tot haar verbazing doet hij toch een stap achteruit.

'Hoelang ben je dit keer van plan te blijven? Je moet

namelijk volstrekt niet denken dat ons geduld eindeloos is. Dit keer maak ik een uitzondering. Regina heeft vast nog meer klussen voor je. Trouwens, je had ook al je spullen hier achtergelaten.'

'Daarom kan ik hier nu ook zo weer intrekken.' Ze glipt lang hem heen de gang binnen. 'Geloof me, Manny, dit keer blijf ik echt niet lang. Het is maar voor even. Binnenkort heb ik een ander adres.'

De uren na het vertrek van Coby leek het ineens stil in huis. Zelfs Lia had het idee dat ze iets miste. Onwennig zat ze tegenover Yannick, die uitgebreid de krant las. Coby had niet eens veel gepraat, maar nu ze niet langer aanwezig is, lijkt het huis leeg.

Om die leegte en stilte te verdrijven, hadden ze een eind gewandeld en net als altijd had Yannick haar hand vastgehouden. Ze waren niet de enige mensen in het bos. Gezinnen met kinderen, mensen die hun hond uitlieten, verliefde stelletjes, allemaal hadden ze het bos opgezocht. Daar was het groen jong en uitbundig. De wilde brem bloeide en de geur van zomer hing in de lucht.

Lia had naar die gezinnen gekeken. Naar de mannen die hun kinderen op de nek droegen, naar de vrouwen die zorgzaam achter de wandelwagen liepen, naar de kinderen die achter elkaar aan renden onder het slaken van indianenkreten. Zij had haar geheim. Ze vroeg zich af of Yannick over een jaar of twee zijn zoon of dochter ook op z'n nek zou dragen. Later zouden ze misschien nog meer kinderen krijgen. Ze fantaseerde over hun uiterlijk, en natuurlijk stelde ze zich een jongetje en een meisje voor. Het jongetje zou het evenbeeld van Yannick zijn, het meisje leek op haar. Zou ze al tijdens de zwangerschap willen weten of ze een zoon of een dochter zouden krijgen? Tegenwoordig was dat heel gebruikelijk. Voor zichzelf besloot ze ter plekke dat zij het een verrassing wilde laten blijven. Ze vroeg zich af hoe Yannick erover zou denken.

Op datzelfde moment kneep hij in haar hand en toen ze opkeek, glimlachte hij naar haar. 'Je bent zo stil vandaag,' zei hij, maar ze had geen antwoord gegeven.

Die avond had ze haar geheim ook nog voor zich gehouden, terwijl ze allebei probeerden te doen alsof alles nog precies zo was als voor de komst van Coby. Yannick zat aan tafel te studeren. Zij bekeek een programma op de televisie waarin een boer op zoek was naar een vrouw. Vanuit haar ooghoeken zag ze dat hij zijn gedachten niet bij zijn studieboek kon houden. Steeds weer keek hij op en kauwde nadenkend op zijn pen. 'We zullen het vanavond maar niet te laat maken, hè?' had ze voorgesteld.

Zo liggen ze al om halfelf in bed. Yannick heeft zijn rug naar haar toe gedraaid. Op de een of andere manier lijkt die rug plotseling het toonbeeld van ontoegankelijkheid. Ze vat toch moed. Dit is het moment, nu moet ze het hem heel voorzichtig vertellen.

'Ik heb je iets te zeggen,' begint ze met de moed der wanhoop. De rug beweegt wat onwillig. Ze wacht totdat hij zich heeft omgedraaid. 'Ik had het je vrijdagavond al willen vertellen,' begint ze alsof dat er nu nog iets toe doet. 'Nou ja, dat ging niet door natuurlijk, en daarom doe ik het nu.' Ze haalt heel diep adem. 'Je wordt vader, Yannick.'

Hij zegt niets.

'Ik ben zwanger,' zegt ze en ze hoort hoe haar stem beeft. 'Jij en ik, we worden vader en moeder.'

'Zijn we daar niet wat jong voor?'

Ze weet niet wat ze had verwacht. In ieder geval had ze dit niet verwacht.

'Er zijn wel jongere ouders. We zijn vijfentwintig, dat is een heel normale leeftijd om een gezin te stichten.'

'Ik studeer nog.'

Het voelt alsof hij van haar vraagt om haar zwangerschap nog even terug te draaien.

'Je bent bijna klaar met je studie, en als je straks niet direct werk vindt, kan ik waarschijnlijk wel meer uren krijgen zodat ik een fulltimebaan heb.'

'Je gebruikt toch...'

'Ik ben de pil een keer vergeten,' bekent ze. 'Ik had niet verwacht dat het zo'n vaart zou lopen, maar ik ben echt zwanger en daar is niets meer aan te veranderen.'

Even is ze bang dat hij zal beginnen over abortus, maar ineens voelt ze zijn armen om haar heen. 'Het overvalt me. Ik was met zulke andere dingen bezig, maar ik ben blij, hartstikke blij. Natuurlijk gaan we het redden.' Hij kust haar en even heeft ze het idee dat ze de gelukkigste vrouw van de wereld is. 'Alleen, denk je dat we Coby nog wel kunnen opvangen als dat nodig is? Ik bedoel, er moet voor haar toch ook een plekje in dit huis zijn?'

Ze verbijt haar teleurstelling die de tranen in haar ogen dringt. 'Natuurlijk blijft er een plekje voor Coby,' antwoordt ze dapper, maar opnieuw valt het haar op dat teleurstelling zo zwaar kan wegen. Het is net alsof ze erin stikt.

10

Het water van het kleine meer is kil, maar Lia vindt het niet onaangenaam op deze warme junidag. Ze laat zich drijven. Vanaf de kant klinken kinderstemmen, het kleine strandje is dichtbevolkt en toch heeft ze het gevoel dat ze hier alleen is.

Op de kabbelende golven laat ze haar gedachten de vrije loop.

Sinds een maand weet ze nu dat ze zwanger is en toch is het vaak niet te bevatten. Niemand kan het aan haar zien. Ze merkt zelf de veranderingen aan haar lichaam op, haar volle borsten, haar broeken die iets minder makkelijk sluiten, haar afkeer van bepaalde geuren en smaken. Toch blijft het onvoorstelbaar dat er een kind in haar groeit. Ze wil het met Yannick delen, maar hij lijkt nauwelijks geïnteresseerd.

Misschien komt dat later. Volgens haar moeder konden mannen zich nog niets voorstellen bij zo'n prille zwangerschap. Haar moeder zou het wel weten.

Is het gek dat ze toch teleurgesteld is? Ze had het zich allemaal anders voorgesteld. Misschien wel veel te rooskleurig. Er was zelfs een stille hoop geweest dat Yannick door haar zwangerschap milder naar zijn vader toe zou worden.

Nou, dat kon ze op haar buik schrijven. Hij was niet bezig met zijn aanstaande kind, hij dacht niet aan zijn vader of zus, hij was druk met Coby.

Coby, Coby, Coby... Zodra het over haar ging, werd zijn belangstelling gewekt. Steeds frequenter kwam ze bij hen over de vloer: overstuur, boos en soms verdrietig. Yannick wierp zich op als haar persoonlijke hulpverlener. 'Ik ken die gevoelens zo goed,' verweerde hij zich toen ze klaagde dat hij wel erg veel tijd aan Coby besteedde. 'Ik weet precies wat Coby doormaakt en als ik haar nu met mijn ervaringen kan helpen, dan zijn die in ieder geval niet voor niets geweest.'

Ze was het daar niet mee eens, maar als ze hem tegensprak, verweet hij haar jaloezie.

Ze wist zeker dat haar gevoelens niets met jaloezie te maken hadden, maar hoe moest ze hem dat duidelijk maken? Het was geen jaloezie, het was onbehagen. Hij wilde niet horen dat het niet normaal was dat hij een nieuwe mobiel voor Coby kocht omdat ze de oude kwijt was geraakt. Hij wilde niet horen dat ze Coby niet vertrouwde. Als ze plannen hadden, werden die meteen gewijzigd als Coby op de stoep stond. Coby beheerste hun leven, en Lia had daar niet om gevraagd.

Er kloppen dingen niet aan Coby, maar Yannick wil daar niets van weten en zij kan niets bewijzen.

Met iemand erover praten durft ze ook niet, bang om ook door anderen voor jaloers versleten te worden. Misschien kent ze zichzelf niet zo goed, en heeft Yannick gewoon gelijk. Coby is wel een aantrekkelijke, jonge vrouw. Het zou niet zo heel gek zijn als ze enige achterdocht zou koesteren.

Ze schrikt van een bal die vlak bij haar neerkomt en het water hoog doet opspetteren.

'Sorry!' roept een jongen als ze de bal teruggooit, maar aan zijn lach ziet ze dat hij er niets van meent. Met lange, trage slagen zwemt ze terug naar de oever.

'Ik zit nu al een poosje op geld te wachten.' Regina is de kamer binnengekomen waar Coby met ferme halen de ramen lapt. Haar kaken malen onophoudelijk kauwgom.

'Ik knap hier jouw rotklussen op,' verweert Coby zich. 'We hadden afgesproken dat we niet over geld zouden praten, als ik hier in het huishouden m'n handen zou laten wapperen.'

Regina lacht smalend. 'Jij hebt dat afgesproken, maar ik heb er geen woord over gezegd. Vind je het zelf ook niet raar dat je hier voor niets kost en inwoning krijgt? Kun je die vent met die mooie naam niet eens wat geld ontfutselen?'

'Ik kan toch niet steeds om geld blijven vragen?' jammert Coby. 'Hij heeft me laatst een nieuwe mobiel gegeven, dan kan ik nu toch niet...'

'Misschien zijn er manieren waarop het niet opvalt dat hij wat geld kwijtraakt,' valt Regina haar hardvochtig in de rede.

'Ik ben geen dief!'

'Maar wel een leugenaar en een parasiet. Ik vraag me af wat erger is.'

'Hebben jullie weer ruzie?' Almanzo onderbreekt hun gesprek. 'Zet twee vrouwen bij elkaar, dan is manlief de sigaar.' Hij kijkt hen onderzoekend aan. 'Wat is het probleem?'

'Niets,' haast Regina zich hem gerust te stellen. 'Er is geen probleem. Hoe kom je op het idee dat we ruzie zouden hebben?' Glimlachend loopt ze op hem toe. Als ze haar handen rond zijn gezicht vouwt, weet Coby al waar dit op uit zal lopen. Met een plons verdwijnt de spons in de emmer. Noch Almanzo, noch Regina lijkt in de gaten te hebben dat ze naar het kleine kamertje verdwijnt dat haar door Regina als slaapkamer is toegewezen. Ze grijpt wat spullen bij elkaar en propt die in haar vale rugzak. Zonder afscheid te nemen, verlaat ze het huis.

Nergens thuis.

Op straat lopen mensen te genieten van de avondzon. Coby heeft de hele middag in de stad doorgebracht. Ze heeft een broodje bij de bakker gekocht en dat op een bankje opgegeten. Mensen passeerden, net zoals ze haar nu voorbijgaan. Ze slaan geen acht op haar, alsof zij hier niet loopt, alsof ze er net zo goed niet had kunnen zijn.

Bijna niemand is alleen. Alleen zij.

Sommigen flaneren door de brede promenade, maar de meeste mensen zijn op weg. Ze hebben een doel en worden verwacht.

Zij niet. Niemand wacht op haar. Als ze weer op dat bankje zou gaan zitten en niet meer opstaan, zouden ze haar misschien gewoon laten zitten. Is dit nou eenzaamheid?

Niemand is ooit blij met haar komst. Als ze bij Almanzo en Regina op de stoep staat, is ze niet welkom zonder geld.

Bij Yannick en Lia zorgt ze voor spanningen. Dan wil ze nog niet eens aan haar ouders denken.

Ze haalt haar nieuwe mobiele telefoon uit haar zak en toetst een berichtje in voor Yannick. 'Mag ik alsjeblieft een poosje bij jullie blijven? Het is in huis zo hopeloos. Ik kan het niet langer verdragen.'

Het begin is er. Hij zal Lia in ieder geval op haar komst kunnen voorbereiden. Ze weet toch wel dat hij haar oproep niet onbeantwoord laat. Yannick praat niet over geld. Hij probeert haar altijd het gevoel te geven dat ze welkom is. Hij trotseert Lia's onwil.

Eigenlijk heeft ze op dit moment geen idee hoe ze nu verder moet. Naar school gaat ze al een poos niet meer, al heeft ze Yannick daar heel andere dingen over op de mouw gespeld. Hij is zo makkelijk om de tuin te leiden. In feite is hij veel te aardig voor haar. Als Lia er niet was, had hij allang een plekje in zijn huis voor haar ingeruimd, zonder verder te vragen. Ze weet het zeker.

Vanuit haar broekzak klinkt een opgewekt riedeltje, het teken dat er een sms-bericht is binnengekomen. Ze werpt een blik op het scherm. 'Kom maar gauw,' staat er. Met een zucht van opluchting stopt ze de telefoon weer in haar zak en loopt naar de bushalte.

Lia heeft de ligstoel achter in de tuin gezet, zodat ze de laatste zonnestralen vanavond nog kan vangen. Met gesloten ogen probeert ze zich te ontspannen, maar de woede suist nog na in haar oren. Ze hoort Yannick via de geopende achterdeur heen en weer lopen door de keuken en ze weet al precies hoe hij het straks zal aanpakken. Dit keer zal ze zich niet laten vermurwen. Hij moet nu maar eens weten wat het voor haar betekent dat het Coby steeds weer lukt om zich tussen hen te dringen.

Ze had het al geweten op het moment dat hij met een ongelukkig gezicht en z'n mobiele telefoon in de hand de tuin in was gekomen. 'Lia...' Zijn stem had dan een speciale toon, een soort van schuldgevoel klonk erin door. Voordat hij iets had gezegd, was de woede al omhoog gevlamd, maar ze had zich ingehouden.

'Coby stuurde een berichtje omdat het momenteel weer zo moeilijk is bij haar thuis.'

'Misschien moet je er eens koffiedrinken,' had ze ingehouden gezegd.

'Koffiedrinken?'

'Ja, koffiedrinken bij haar ouders. Dan kun je hun eens vertellen dat we het zat zijn om hun dochter steeds weer over de vloer te krijgen. Misschien blijken het wel heel aardige ouders te zijn die geen idee hebben wat hun dochter ons allemaal op de mouw speldt.'

Hij keek alsof ze iets vreselijks had gezegd. 'Op de mouw speldt? Geloof je werkelijk dat ze ons bedriegt?'

Lia was rechtop gaan zitten. Indringend had ze hem aangekeken. 'Waarom zou dat niet mogelijk zijn?'

'Over zoiets lieg je niet.' Zo verontwaardigd had ze hem nog nooit gezien, zelfs niet als hij het over zijn moeder had. 'Ik vind het heel erg dat je dat durft te denken. Coby...'

'Wat weet je eigenlijk van Coby?' had ze rustig gezegd, en met enige voldoening had ze de plotselinge onzekerheid in zijn ogen waargenomen.

'Ik weet dat ze het hartstikke moeilijk heeft, dat weet ik,' had hij zwakjes gezegd.

'En waar woont ze? Waar werkt haar vader? Zit ze nog op school?'

'Ja, natuurlijk zit ze nog op school.'

'Haal haar dan eens een keer op als ze uit school komt.'

Het bleef lang stil na haar laatste woorden.

'Je denkt dus echt...?'

'Wees eens eerlijk... het is toch te gek voor woorden dat je hier iemand in huis haalt van wie je niets weet?'

'Je denkt toch niet dat ik haar werkelijk ga controleren? Ik vind het heel normaal dat ik voor een medemens klaarsta.'

‘Zo normaal vind je dat niet, want voor je eigen familieleden doe je niets.’
‘Het is niet eerlijk om dat aan te halen.’
‘Wat is eerlijk? Wie is er eerlijk? Is het eerlijk om je moeder na te blijven dragen dat ze fouten maakte? Je blijft er gewoon in hangen. Je zwelgt erin, en er klopt helemaal niets van dat je vader daar ook nog onder moet lijden. Over Felia heb ik het dan nog helemaal niet. Jij weet net zo goed als ik dat Felia altijd voor je heeft klaargestaan. Waar je moeder faalde, probeerde Felia het op te vangen en dat terwijl ze zelf nog een meisje was.’
‘We zijn er weer! Ik ken dat verhaal al.’
Razend maakten die woorden haar. ‘Je laat je familie stikken! Voor een vreemde doe je alles, want een vreemde is ze en blijft ze!’
Hooghartig had hij haar aangekeken voordat hij naar binnen ging. Door het raam had ze gezien dat zijn vingers het antwoord op het sms’je van Coby intypten op zijn mobiele telefoon. Ze wist precies wat dat antwoord inhield. Coby zou straks weer op de stoep staan. Het deed er niet toe wat zij ervan vond. Yannick vroeg het haar en hechtte vervolgens geen waarde aan haar mening. Hij maakte van Coby zijn missie. Zijn eigen familie telde niet, alles draaide om Coby.
‘Coby, Coby…’ Alleen de naam maakt haar al misselijk.
Lia probeert haar woede weg te slikken en zich over te geven aan de warmte van de zon. Ze haalt diep adem en realiseert zich dan dat ze Coby op dit moment niet kan verdragen. Binnen loopt Yannick nu fluitend door het huis.
Met een ruk staat ze op vanuit haar ligstoel, ze meldt hem kort dat ze even weg moet en zonder acht op zijn protesten te slaan, pakt ze haar fiets en gaat ervandoor.

Het appartementencomplex waar haar schoonvader woont, ligt aan de rand van een fraai park en dicht bij het ziekenhuis waar hij als chirurg werkzaam is. Ooit had hij het aangekocht om er te overnachten als hij dienst had. Na de scheiding van zijn vrouw Bodil werd het zijn permanente thuis.

Lia zet haar fiets in een van de daarvoor bestemde rekken voor het complex. Langzaam is haar woede in moedeloosheid omgeslagen. Waarom staat ze hier? Wat verwacht ze van Sierd? Waarom is ze niet naar haar moeder gefietst? Sierd heeft al moeite genoeg met het feit dat Yannick niets van zich laat horen. Het is toch afschuwelijk dat Yannick meer liefde voor een wildvreemd mens kan opbrengen dan voor zijn eigen vader en zus?

Hoe kan hij zijn vader verwijten dat die van zijn vrouw bleef houden? Begrijpt Yannick dan niets van liefde?

Ze treuzelt, ze wikt en weegt. Gaat ze naar boven of draait ze om? Ze kan naar haar moeder gaan. Daar kan ze begrip verwachten, maar haar moeder zal geen blad voor de mond nemen. Ze zal dingen zeggen die Lia niet over Yannick wil horen.

'Hij wentelt zich in zijn zogenaamde beroerde jeugd,' zei ze laatst door de telefoon toen Lia haar nood geklaagd had. 'Het wordt tijd dat die jongen eens volwassen wordt. Jij bent ook veel te lief voor hem. Pak hem maar aan. Het wordt tijd dat hij inziet dat hij zo niet door kan gaan.'

Ze kan het niet hebben als een ander iets verkeerds over haar man zegt, en zeker niet als dat haar moeder is. Daarom staat ze hier nog steeds voor dit chique appartementencomplex. Sierd uit ook kritiek op zijn zoon, maar niet zo hard en ongenuanceerd.

'Lia?'

De deur van het gebouw wordt geopend en Sierd komt naar buiten. 'Ben je op weg naar mij? Ik wilde net een rondje door het park maken. Heb je er bezwaar tegen om met me mee te lopen?'

Ze aarzelt even.

'Ik zou het heel prettig vinden,' zegt hij. 'Maar als je liever...'

'Nee, ik doe niets liever.' Ze lacht en voelt zich lichter.

Ze zijn langs kleurige bloemperken gelopen, langs de grote fontein en staan nu bij het kleine weitje waar een glanzende pauw heeft plaatsgenomen op het puntdak van de kleine stal. Vanaf zijn hoge zitplaats staart hij hen hautain aan onder het uiten van schrikbarende kreten.

'Dat zo'n mooi dier toch zo'n geluid kan voortbrengen,' verzucht Sierd. Hij kijkt zijn schoondochter aan, die na het vertellen van haar verhaal nu wat stilletjes voor zich uit kijkt.

'Ik zou willen dat ik er iets aan kon veranderen,' zegt hij nu rustig. 'Direct nadat Yannick aangaf dat hij het contact met mij en Felia even wilde verbreken, dacht ik er goed aan te doen om hem met rust te laten. Ik had verwacht dat het met een maand voorbij zou zijn, zeker voor Felia. Yannick was altijd dol op haar, dat weet je. Ik kan me er iets bij voorstellen dat hij mij een tijdje uit zijn leven wil verbannen, maar ik begrijp niet dat hij Felia niet wil zien.'

'Ik heb niet het idee dat hij binnenkort op andere gedachten komt,' merkt Lia somber op. 'Voor mijn gevoel wakkert de aanwezigheid van Coby zijn woede ten opzichte van Bodil alleen maar aan. Het lijkt soms net alsof ze elkaar in de put praten.'

'Hij lijkt me ook tamelijk onredelijk als het om Coby gaat.'

'Hij is op veel meer gebieden onredelijk.'

Er valt een diepe stilte tussen hen, die de pauw even later aan flarden schreeuwt. Een paar kippen trekken zich mokkend terug in hun hok.

'Gun hem tijd,' zegt Sierd nadenkend. 'Tenzij je bang bent dat hij verliefd op dat meisje is.' Hij kijkt haar aan alsof hij nu ineens op die gedachte is gekomen.

De pauw geeft een luide schreeuw in de schemering. Onwillekeurig zoeken hun ogen de glanzende blauwe vogel, waarvan de lange staart over het dakje hangt.

'Dat geloof ik niet,' antwoordt Lia dan bedachtzaam. 'Het is meer dat ik haar niet vertrouw. We weten zo weinig van haar, maar ik mag vooral niet achterdochtig zijn. Yannick wordt woedend als ik iets in die richting naar voren breng.'

Sierd laat de adem tussen zijn lippen ontsnappen. 'Zo heel moeilijk moet het toch niet zijn om meer van haar te weten te komen? Heb je al eens via een zoekmachine op de computer haar naam ingevoerd?'

'Ik weet haar achternaam niet eens. Ze heeft zich in het begin aan me voorgesteld, maar toen verstond ik haar niet precies. Ik heb het zo gelaten, want ik dacht dat Yannick het wel wist. Die had ook geen idee. Toen ik aangaf dat ik het vreemd vond dat we iemand onderdak verlenen van wie we niet eens de achternaam weten, werd hij kwaad.'

'Vraag het haar zelf.'

'Dan zal ze toch direct weten dat ik achterdochtig ben?'

'Zo erg is dat niet. Jullie staan altijd voor haar klaar. Waarom zou je dan geen belangstelling voor haar achtergronden mogen tonen? Zit ze nog op school, en zo ja, op welke school zit ze dan? Waar wonen haar ouders precies?'

'Ze zit op school en ik weet ook welke, maar moet ik die school dan gaan bellen of moet ik gaan posten?'

'Waar wonen haar ouders? Weet je dat ook?'

'Ik wil het haar wel vragen, maar Yannick vat dat op als achterdocht. Hij wil dat ze zich veilig voelt bij ons.'

'Achterdocht? Het is toch niet meer dan vanzelfsprekend dat jullie weten aan wie jullie onderdak verlenen?'

'Yannick zegt dat ik haar gewoon moet vertrouwen.'

'Dan moet jij wijzer zijn dan Yannick.' Zijn toon klinkt beslist.

De pauw zwijgt.

Als ze een uur later naar huis fietst, voelt ze zich toch opgewekter. Na hun wandeling had ze nog een kopje thee bij Sierd gedronken. Hij had zich verbaasd over haar keuze voor thee en toen had ze haar geheim niet langer voor zich kunnen houden. Ze werd overrompeld door de vreugde die hij tentoonspreidde over zijn aanstaand grootvaderschap. Nog voelt ze de ontroering als ze eraan denkt.

Hij had haar bij het afscheid bij de schouders gepakt en haar indringend aangekeken. 'Nu is het van nog groter belang dat jullie probleem zo snel mogelijk wordt opgelost. Wees niet bang voor Yannick. Hij is een stijfkop, maar hij houdt van je. Laat je niet langer door hem het zwijgen opleggen.'

Ze voelt zich minder alleen, energieker en vastbesloten om de raad van haar schoonvader op te volgen.

Vol goede moed fietst ze de smalle straat in, de vertrouwde huizen voorbij. Ze groet de buurman die net uit de auto stapt. Gonzende stemmen weerklinken in de avondschemering als ze over het achterpad fietst. De geur van barbecue, gerinkel van bierflesjes, alles ademt een vredige zomeravond uit.

Haar hart bonst als ze de schuttingdeur naar hun tuin opent. In de tuinstoelen zit niemand.

Behoedzaam plaatst ze haar fiets in de schuur. Ze ontdekt Yannick die onderuitgezakt op de bank in een studieboek verdiept is.

Ze durft zichzelf de hoop haast niet toe te staan. Is het mogelijk dat Coby toch niet gekomen is? Om tijd te winnen schenkt ze zichzelf in de keuken met nerveuze handen een glas vruchtensap in.

Yannick begroet haar afwezig als ze de kamer binnen komt. Zijn ogen laten geen moment de tekst in het boek los.

'Ik had verwacht dat je buiten zou zitten. Het is nog zo aangenaam,' probeert ze toch een gesprek te beginnen.

Hij haalt zijn schouders op. 'Ik kan m'n aandacht er niet bij houden als de buren achter het huis zitten te praten.'

Hoort ze nu iets boven of komt het bij de buren vandaan? Ze wil de hoop nog even vasthouden, nog even denken dat ze zich voor niets zo heeft opgewonden.

'Coby is boven,' zegt hij dan, terwijl hij de bladzijde omslaat.

'Boven? Wat doet ze boven?' Zwaar drukt de teleurstelling.

'Ze wilde schrobben of zo.'

'Schrobben,' herhaalt ze wezenloos.

'Ja, schrobben, boenen, weet ik het.'

Ze zet haar glas op tafel en beent met grote stappen naar boven. 'Wat ben jij nou aan het doen?'

Coby staat met blote voeten in bad. Ze boent alsof er nooit eerder schoongemaakt is. Haar gezicht ziet rood van inspanning als ze rechtop gaat staan, en ineens lijkt ze nog jonger dan anders. 'Ik wilde je verrassen,' merkt ze bijna verontschuldigend op. 'Ik ben nogal goed in badkamers en ik wilde graag iets voor je doen omdat ik hier zo vaak gastvrijheid geniet. Bovendien zat ik me te vervelen, want Yannick moest studeren en het is niet goed om hem daarvan af te houden.'

'Wat aardig van je.'

Coby draagt een strakke spijkerbroek met daarop een kort hardroze shirtje. In combinatie met haar uitgegroeide rode haar zorgt dat ervoor dat ze er haast armoedig maar ook heel kinderlijk uitziet. De onbevangen blik in haar zwart omrande ogen bezorgt Lia schuldgevoelens.

'Heeft Yannick het bed op de logeerkamer al opgemaakt?' informeert ze. 'Je moet het natuurlijk niet te laat maken, want morgen zul je weer naar school moeten.'

'Ik ga niet!' De onbevangen blik maakt plaats voor een uitdagende. 'Ik heb het er net al met Yannick over gehad, maar deze laatste weken voor de schoolvakantie ga ik er niet meer heen.'

'Dat kan toch maar niet zo?'

'Ik ben achttien.'

'Maar je ouders...'

'Mijn ouders hebben geen idee of ik wel of niet naar school ga. Misschien kun jij je niet voorstellen dat er zulke ouders bestaan, maar ik weet het heel goed. Ik heb zulke ouders en daarom ben ik hartstikke blij dat jullie er zijn.'

Lia weet niet wat ze moet zeggen, het is alsof al haar achterdocht zich tegen haar keert.

'Ik heb met Yannick afgesproken dat ik jou zolang zal helpen. Morgen begin ik met het schilderen van de schuur en daarna zal ik je helpen met de babykamer.'

'De babykamer,' herhaalt Lia.

'Ja, Yannick heeft het me net verklapt. Ik vind het helemaal super dat jullie een baby krijgen en nu kan ik je mooi een beetje helpen bij de voorbereidingen. Wil je straks ook weten of het een jongen of een meisje wordt?'

Yannick had het niet moeten zeggen, niet tegen Coby. Ze probeert haar verontwaardiging weg te slikken.

'Lia, wat is er? Heb ik iets verkeerds gezegd? Wil je niet dat ik blijf?' Bezorgd slaat Coby haar gade.

'Het is goed. Ik ga het logeerbed opmaken.'

Razend is ze. Zo ongelooflijk kwaad dat ze Yannick zou kunnen slaan. Hoe is het mogelijk dat hij het nieuws niet zelf aan zijn vader wil vertellen, maar wel aan een vreemde? Want een vreemde blijft Coby. Hoe vaak ze ook bij hen over de vloer komt.

'Hij had het niet moeten zeggen,' dreunt het door haar hoofd, terwijl ze met heftige gebaren het hoeslaken om de matras heen trekt. 'Hij had het niet moeten zeggen.' Ze zou het uit willen schreeuwen, maar ze doet het niet. Ook niet als ze later met Yannick in de kamer zit, terwijl ze boven haar hoofd Coby hoort rommelen die heeft aangekondigd naar bed te gaan. Ze wil geen scène, niet nu. Als ze naar Yannicks gebogen hoofd kijkt, weet ze dat ze zich haar huwelijk heel anders had voorgesteld.

11

De langste dagen van het jaar. Sierd leunt over de balustrade van zijn balkon en kijkt uit over het park waar de lichte avond nog steeds mensen lokt. Een jong stel loopt innig met elkaar verstrengeld, een ouder echtpaar zit op een bankje te genieten, een man rent zwetend voorbij. Vanaf de balkons rondom hem klinkt het zachte gemurmel van stemmen. Niemand schijnt alleen op het balkon te zitten. Hij krijgt de neiging om zich in zijn huis terug te trekken, maar blijft toch nog even over de rand kijken naar al die activiteit in het park. Het is lang geleden dat hij op een avond zo met iemand van gedachten kon wisselen. Veel langer dan de dood van Bodil, ook al veel langer dan hun scheiding. Hun verwijdering had al ver daarvoor doorgezet. Ze lag toen steeds vaker vroeg op bed. Dat waren nog de beste avonden. Er waren ook avonden dat ze trachtte te verdoezelen dat ze dronken was. Die waren altijd het ergste geweest. Haar ongenuanceerde uitspraken, haar ongefundeerde woede, haar aanhaligheid en haar alcoholadem.

Hij voelt opnieuw de eenzaamheid die hem op die momenten vaak zo neerslachtig had gemaakt. Op de dag dat hij het niet langer verdroeg, had ze hem de meest vreselijke verwijten voor de voeten gegooid. Hij had aangekondigd dat hij voorlopig in zijn appartement ging wonen en die beslissing had hem in eerste instantie rust gebracht. Dat had niet eens lang geduurd. Wat Yannick hem steeds weer verweet was waar. Hij kon Bodil niet loslaten. Hij bleef zich verantwoordelijk voor haar voelen, zelfs nadat ze later officieel gescheiden waren. Meer dan eens heeft hij zich afgevraagd waar dat verantwoordelijkheidsgevoel vandaan kwam. Was het nog steeds liefde? Of was het medelijden? Had het te maken met schuldgevoel? Het zat hem dwars dat hij niet in de gaten had hoe moeilijk zij het vond om niet meer als verpleegkundige werkzaam te zijn. Hij had zijn eigen leven geleid. Ze had er nooit over geklaagd. Veel later had ze hem verteld hoeveel moeite haar dat had gekost.

Had ze het hem maar eerder verteld, maar Bodil had over de belangrijkste dingen in haar leven gezwegen en ze had haar onvrede en verdriet proberen te verdrinken.

Van het huis naast het zijne wordt de balkondeur geopend. Het valt hem op omdat het lang geleden is dat het gebeurde. Bijna een jaar staat het appartement inmiddels te koop. Af en toe waren er kijkers, maar die waren nooit kopers geworden. Vanuit zijn ooghoeken ziet hij de makelaar in gezelschap van een vrouw naar buiten komen. Hij hoort de stem van de makelaar, voelt zich ineens een voyeur en wil naar binnen gaan, maar een warme vrouwenstem groet hem. Als hij opkijkt ziet hij twee helderblauwe ogen belangstellend op zich gericht. 'Ik neem aan dat u de bewoner van dit buurhuis bent?' Haar stem klinkt warm en tegelijkertijd licht.

'Ik hoop niet dat u het erg vindt dat ik u aanspreek, maar ik vind het namelijk belangrijk om niet alleen het appartement te bekijken, maar tevens kennis te maken met de buren en iets van de omgeving te zien.'

Hij staat met zijn mond vol tanden.

'Mevrouw wil graag wat meer weten over het woongenot hier,' schiet de makelaar hem te hulp. 'U woont hier toch al enkele jaren?'

'Ik woon hier graag.' Hij heeft zich hersteld, neemt de vrouw op het andere balkon op. Ze is een stuk jonger dan hij, schat hij. Haar korte blonde haar krult rond haar smalle gezicht, waarin vooral haar prachtige ogen opvallen.

'Voor de scholen hier in de buurt moet ik niet bij u zijn, denk ik,' merkt ze olijk op. De hardblauwe bloes die ze draagt, kleurt geweldig bij haar blonde haar en laat haar ogen nog blauwer lijken. 'Maar u weet natuurlijk wel of het hier 's avonds rustig is, of dat er in het park misschien vervelende dingen gebeuren.'

In sobere bewoordingen vertelt hij van zijn woonervaringen, terwijl hij over de balustrade van zijn balkon leunt en zij zich ook vooroverbuigt over de hare.

De makelaar kucht discreet om aan te geven dat wat hem betreft de rondleiding door het huis wel verder kan gaan. Lachend nemen ze afscheid. 'Ik weet nu in ieder geval dat het met mijn buren wel goed zit,' zegt de vrouw, die zich inmiddels heeft voorgesteld als Letty Kuipers. Als de deur al een poos gesloten is, betrapt hij zich erop dat hij nog steeds glimlacht.

Albert Kouwenaar mist zijn werk, zijn bloemen, de veiling. Zijn dagen zijn volledig inhoudsloos, af en toe wat opgevuld door de komst van Gerda. Niet dat zij altijd zo vriendelijk tegen hem is.

'Ik weet nu weer helemaal waarom ik het bij jou niet kon uithouden,' zei ze tijdens hun laatste telefoongesprek. 'Het is net alsof je niet echt leeft. Je vegeteert.'

Natuurlijk had hij haar tegengesproken, maar haar woorden hadden hem niet losgelaten en in de dagen erna was het hem duidelijk geworden dat ze er niet eens zo ver naast zat. Hij vergat te leven. Dat deed hij al heel lang. Hij was daardoor meer dan eens vergeten dat hij een dochter had.

Samen met Gerda was hij naar het politiebureau geweest en daar had hij ontdekt hoe weinig hij zich verdiept had in het leven van Jacoba. Was het een wonder dat de politie niet direct uitrukte om haar te gaan zoeken?

'Meneer, uw dochter is meerderjarig. Het lijkt er niet op dat ze in handen van een loverboy is gevallen en uit uw verhalen krijg ik de indruk dat ze al heel lang haar eigen boontjes kan doppen.'

Gerda had die man nog gelijk gegeven ook. Zijn eigen zus had niet veel anders gereageerd. 'Word je nu eindelijk ongerust? Dat had je veel eerder moeten doen. Die meid is voor galg en rad opgegroeid, dat hebben wij ondervonden.'

Sinds hij niet meer in de bloemen zit, heeft de wereld zich tegen hem gekeerd. Of was dat al veel langer zo en heeft hij dat nooit gemerkt? Is het waar wat Gerda zegt en heeft hij alleen maar aan zichzelf gedacht en iedereen laten lijden onder dat wat hij zijn droom noemde? Nadat Gerda hem verlaten had, was hij ervan overtuigd dat het aan haar lag. Alleen dat verhaal heeft hij steeds weer aan Jacoba verteld. Hij meende toch echt dat hij het goed deed, maar Jacoba zou niet met de noorderzon zijn vertrokken als hij het werkelijk goed had gedaan. Dat hoefde Gerda hem allemaal niet te zeggen. Dat begreep hij zelf wel.

Albert staat in de kleine achtertuin bij zijn huis. De geluiden daar zijn vertrouwd. Een buurman die met de elektrische heggenschaar zijn heg bijwerkt, een buurvrouw die de was ophangt, zijn buurjongetje dat op een minifietsje over het achterpad voorbijscheurt. Hij luistert ernaar, maar op de een of andere manier klinkt vandaag alles anders. Alsof deze geluiden niet bij deze plaats horen, alsof hij hier vreemd is, alsof hij hier niet hoort.

Het weer lijkt drukkend. Misschien hangt er onweer in de lucht. In ieder geval heeft hij moeite met ademhalen. Hij gaat zitten op het bankje bij de schutting die zijn tuin aan het oog van de buren onttrekt. Zijn handen klemmen zich om de zitting. Hij probeert rustig te blijven, zo diep mogelijk adem te halen.

'Albert, zit je in de tuin?' Hij hoort de vertrouwde stem van Gerda vanachter de schutting. Nooit eerder was hij zo blij met haar komst.

Het schilderij is klaar. Vanaf grote hoogte lijkt Regina op haar neer te kijken. Coby kijkt ernaar met gebalde vuisten. Ze had hier niet meer willen komen, maar de spanning tussen Lia en Yannick was steeds verder opgelopen. Ze hield het niet meer uit. Aanvankelijk was ze opgelucht omdat Almanzo niet afwijzend reageerde, en bovendien meldde dat Regina een paar dagen afwezig was.

Lang had die opluchting niet geduurd. Hij had haar meegetroond naar het atelier en nu staat hij naast haar naar het schilderij te kijken alsof hij het nooit eerder heeft gezien. 'Zoiets moois heb ik nog nooit eerder gemaakt,' hoort ze hem zeggen en ze hoort de liefde in zijn stem. Nit eerder is dat zo tot haar doorgedrongen. Ze kijkt naar hem. Hij draagt een groen hemd op een versleten spijkerbroek en omarmt zichzelf. Ze vraagt zich af of het nog tot hem doordring dat zij hier staat.

'Ze stimuleert me tot het maken van zulke indrukwekkende dingen. Zonder haar zou dit niet gelukt zijn. Ik heb nooit geweten dat liefde dit teweeg kon brengen.' Het beeld van Regina op het schilderij verdwijnt in een nevel die haar belet om helder na te denken. Zijn woorden trekken een rauw verdriet in haar open, een pijnlijke wond waarvan ze het bestaan niet eens meer vermoedde. Ze herinnert zich hoe hij haar ooit had bezworen dat hij van haar hield, maar dat hij zich eerst moest bewijzen als kunstenaar. Hij had haar voorgehouden dat ze anders samen geen toekomst zouden hebben. Ze had hem geloofd, ze had hem haar ziel en haar lichaam gegeven. Hij had alleen een kind in haar gezien, een onnozel kind dat niet wist waar ze het over had. Al die tijd had ze geweten dat hij een spel met haar speelde, maar ze had het niet willen geloven. Zelfs toen hij haar de deur had gewezen en haar duidelijk had gemaakt waar het op stond, had ze het niet willen geloven. Ze is een dromer.

Nadat ze het huis van tante Agnes en oom Adriaan ontvlucht was, ging ze rechtstreeks naar Almanzo. Ondanks Regina was ze haar hoop blijven koesteren. Kind dat ze is.

Wat had ze eigenlijk gedacht? Dat Regina alleen als model diende? Ze had toch haar ogen niet in haar zak? Waarom was ze niet direct omgedraaid? Ze heeft zich door Regina laten uitbuiten, ze heeft zich onsterfelijk belachelijk gemaakt. Er zouden andere adressen te regelen zijn geweest en desnoods had ze bij het Leger des Heils om onderdak kunnen vragen. In plaats daarvan had ze zich laten vernederen door deze man en vooral door de vrouw die hij aanbidt. De manier waarop hij haar heeft geschilderd overtuigt haar dat Regina zijn grote liefde is. Zij zal dat nooit worden.

'Dit schilderij doet de werkelijkheid tekort,' bazelt hij

maar door. Elk woord treft haar pijnlijk.
'Regina...'
Ze hoort niet wat hij over Regina zegt, maar ze ziet de laatdunkende blik van deze vrouw voor zich. De blik die haar telkens weer laat weten dat zij de verliezer is. Almanzo heeft nooit van haar gehouden. Hij heeft haar als een kind gezien en zo ook behandeld. Hij heeft haar naïviteit misbruikt. Nooit zal ze zijn vrouw worden. Hij kan naar haar kijken met een welwillende glimlach, hij zal nooit naar haar kijken zoals hij naar Regina kijkt. Regina is zijn vrouw. Regina is zijn vrouw...
Er ontsnapt een snik uit haar keel voordat ze met een kreet op het schilderij afspringt en in haar beweging het mes van de tafel pakt dat ze al die tijd heeft zien liggen. Ze rijt Regina aan stukken.

Lia staat in de kleine kamer die ze zich als babykamer had voorgesteld. Nu staat het smalle bed er nog dat steeds weer dienstdoet als logeerbed voor Coby. Volgende week had ze willen beginnen met het schilderen van de muren in vrolijk lichtgeel. Ze was nog helemaal niet lang zwanger, maar ze had zich toch al echt een aanstaande moeder gevoeld. Veel meer dan Yannick zich vader voelde waarschijnlijk.
Een droom is voorbij, het leven in haar over.
De verloskundige had omstandig uitgelegd dat de zwangerschap in zo'n geval vanaf het begin al problematisch was geweest. Het vruchtje was niet in orde, groeide niet meer en werd op deze manier afgestoten.
Lia loopt naar het raam en kijkt uit over de tuin. Ze heeft vanaf het begin van haar zwangerschap zo vaak in dit kamertje gestaan. Het was misschien overdreven, maar ze had zich afgevraagd hoe haar baby eruit zou zien. Ze had zich voorgesteld hoe ze hier met zo'n hummeltje voor het raam zou staan en zachtjes liedjes zou zingen. Er zou nooit sprake van een baby zijn.

'Misschien moeten we blij zijn dat het zo gelopen is,' had Yannick gisteravond gezegd. 'Het is toch wonderlijk dat God het zo geregeld heeft. Het kindje zou niet gezond zijn geweest.'

'Geweldig dat je nu ineens over God begint,' was ze uitgevallen. 'Je praat er normaal nooit over en wat mij betreft, hoef je daar nu ook niet mee te beginnen.'

Misschien had ze dat niet zo moeten zeggen, maar ze zat niet te wachten op zijn zogenaamd troostende woorden. En dat God het zo keurig geregeld had, wilde ze nu ook niet horen.

In ieder geval had Yannick er geen woord meer aan vuilgemaakt. Prima, ze redde zich wel zonder hem en zijn zogenaamde troost.

Waarom hielden mensen hun mond niet? Wat had ze aan de opmerking van haar moeder dat ze toch nog jong was? Een van haar collega's belde vandaag en meende te moeten zeggen: 'Volgende keer beter. Je weet nu in ieder geval dat je zwanger kunt worden.'

Ze wilde het niet horen.

Nu ze hier over de tuin vol zomerbloemen uitkijkt, is het net alsof ze alleen op de wereld is. Misschien had ze zich vorige week niet zo druk moeten maken om Coby, die bijna de hele week gebleven was. Of was het beter geweest om Yannick voor de voeten te gooien dat ze het geen stijl vond dat hij Coby al van haar zwangerschap op de hoogte had gesteld? Nu had ze haar woede onderdrukt, maar het had haar veel stress opgeleverd. Stress was nooit goed voor een zwangerschap.

Misschien was het zelfs goed dat ze niet langer zwanger was. Het leek erop dat Yannick en zij nog helemaal niet aan gezinsuitbreiding toe waren. Er waren veel te veel spanningen. Ze had Yannick gezegd dat ze Coby daarvoor verantwoordelijk stelde. Hij had er niet van willen horen.

Ze draait zich van het raam af. Haar schoonfamilie moet nog gebeld worden. Sierd en Felia weten van niets. Als ze maar niet met van die dooddoeners komen. Ze zal het niet kunnen verdragen.

Felia pakt de catalogus met fraaie bruidsjaponnen van de tafel, slaat lusteloos een paar bladzijden om. Hoe is het toch mogelijk dat haar stemming in een paar minuten zo is omgeslagen? Ze had Lia deze week het goede nieuws willen vertellen, maar de boodschap van haar schoonzus heeft haar het zwijgen opgelegd. Ze heeft geen idee hoe het is om een miskraam te krijgen, maar ze kan zich voorstellen dat Lia het er moeilijk mee heeft. Ellendig toch dat ze niet gewoon op de fiets kan stappen om even een kop koffie te gaan drinken. Lia en zij hebben het altijd goed kunnen vinden. Dat kwam omdat hun namen maar twee letters scheelden, grapte Lia wel eens. Yannick en zij waren al zo lang samen dat ze Lia bijna als een zus beschouwde. Het is wrang dat Yannick nu elk contact weigert. Daar heeft hij niet alleen haar en haar vader mee, maar Lia net zo goed.

Wat ze van dat verhaal over die Coby moet denken, weet ze ook niet. Lia zou veel harder moeten zijn. Het is toch raar dat Yannick steeds maar beslist dat die vrouw daar wel kan slapen. Haar broer zou een toontje lager moeten zingen. Natuurlijk begrijpt ze dat hij zich verbonden voelt met iemand die ook met alcoholisme te maken heeft in haar leven, maar dat is iets anders dan zich helemaal verantwoordelijk voor zo iemand voelen. Zij hadden zich ook altijd gered. Jarenlang had ze niemand verteld hoeveel problemen ze thuis met haar moeder had. De vuile was hing je niet buiten. Daar leek deze Coby helemaal geen moeite mee te hebben.

Opnieuw pakt ze de catalogus. Samen met Simon had ze vorige week besloten om in mei van het volgende jaar te trouwen. Ze kennen elkaar nu al een hele tijd. Ooit was Simon voor haar alleen de Eerst Verantwoordelijke Verzorger van haar oma geweest, maar sinds twee jaar was hij veel meer voor haar gaan betekenen. Ze was dolgelukkig toen hij haar vroeg zijn vrouw te worden en vorige week hadden ze hun plannen verder uitgewerkt. Lia zou zich niet laten weerhouden om op die dag aanwezig te zijn, maar het zou afschuwelijk zijn als Yannick zo koppig bleef.

Ze zucht, bladert toch door de catalogus. Na het overlijden van haar moeder had ze gehoopt dat hun familie nu rust zou krijgen, dat ze eindelijk een normale familie konden worden. Niets was minder waar.

Nooit eerder is Coby zo bang geweest, zo totaal in paniek. Ze weet niet meer hoe ze het huis uit is gekomen. Almanzo had haar totaal over zijn toeren bij haar armen gegrepen en wilde haar niet laten gaan. Ze moest zich hebben losgerukt en ineens was ze buiten, rennend zoals ze dat nog nooit had gedaan. Achter zich hoorde ze Almanzo's geschreeuw, maar hij had haar niet achtervolgd. Drie straten verderop had ze het gewaagd om stil te blijven staan. Op dat moment was het tot haar doorgedrongen dat ze nu nooit meer bij Almanzo en Regina zou kunnen aankloppen. Sterker nog, ze moest zien te voorkomen dat ze hen ooit weer tegen het lijf zou lopen. Koortsachtig had ze nagedacht. Het adres van Yannick wisten ze niet, al had Regina daar meer dan eens naar gevist. Ze had zelfs zijn naam nooit hardop genoemd. Natuurlijk was Yannick niet echt een veelvoorkomende naam, maar met alleen zijn voornaam zouden ze niet ver komen. Dat had haar enigszins gerustgesteld. Langzaam was haar jagende ademhaling tot bedaren gekomen en toen had de vraag zich aan haar opgedrongen waar ze dan nu naartoe moest. Ze kwam net bij Yannick en Lia vandaan. Yannick zou haar terugkomst accepteren, maar Lia zat niet op haar te wachten. De laatste dagen daar in huis had ze zelfs haar best niet meer gedaan om dat te verdoezelen.

Langzaam loopt ze verder. Er staat nog een tas met kleren bij Almanzo in huis, maar ook bij Yannick hangt nog wel het een en ander van haar in de kast. Ze begint zichzelf bijna slim te vinden. Zonder die kleding bij Almanzo zal ze zich prima kunnen redden. De belangrijkste zaken bevinden zich nog bij Yannick. Nu moet ze een smoes zien te bedenken waardoor hij haar niet meer terug naar huis zal willen sturen. Misschien moet ze wachten tot het laat op de avond is. Hij wil niet dat ze 's avonds laat nog over straat zwerft.

Soms is Yannick nog erger dan haar vader. Om de een of andere reden vindt ze dat prettig. Uit haar zak diept ze haar portemonnee op en telt haar geld. Yannick heeft het haar laatst gegeven en ze is er zuinig mee omgegaan. Ze zal bij de hamburgergigant in de stad best een lekker broodje hamburger kunnen halen en dan blijft er zeker geld over voor een ijsje na. Daarna zal ze moed verzamelen. Het plan dat ze in haar hoofd heeft, mag niet mislukken. Ze weet zeker dat dat ook niet zal gebeuren.

De avond is lang en zoel. Yannick heeft Lia op een stoel geïnstalleerd. 'Jij blijft vanavond lekker zitten. Ik zorg voor je.' Hij heeft thee voor haar gehaald. Later op de avond ontkurkt hij een fles rode wijn. 'Een glas wijn zal je goeddoen.'

Ze ondergaat zijn zorgen gelaten, voelt zich vaag schuldig omdat hij ineens zo zijn best doet en zij er toch niet blij van wordt. Haar verstand zegt dat er betere tijden zullen komen, maar haar gevoel is zo anders.

Yannick praat enthousiast over zijn afstudeerproject. 'Begin volgend jaar hoop ik echt afgestudeerd te zijn. Dan kan ik eindelijk de vruchten plukken van m'n studie.'

'Ook fijn voor je vader, die dan niet meer in de kosten hoeft bij te dragen.' Lia kan het niet laten om het te zeggen. Ze wil helemaal niet dat het zo verwijtend overkomt.

'Pa heeft zelf aangegeven dat hij mijn studie wil betalen. Daar heb ik niet om gevraagd,' schiet Yannick direct in de verdediging.

'Hij heeft de studie van Felia ook betaald, maar die zag hij dan ook regelmatig.' Het is de leegte die haar dit soort dingen doet zeggen. Het is de leegte die haar angstig maakt voor de dagen die voor haar liggen. Het is de leegte die haar het gevoel geeft dat ze nooit meer zal worden wie ze was.

'Ik weet wel dat het je dwarszit. Ik weet allang dat je me blijft verwijten dat ik geen contact met mijn familieleden wil. Je kunt niet zeggen dat ik je niet heb gewaarschuwd.'

'Nee, je hebt me niet gewaarschuwd. Je kwam er plompverloren mee aan.'

'Moeten we daar op dit moment over praten? Ik dacht dat je het moeilijk had met de baby, met de miskraam, bedoel ik. Ik dacht dat we daar misschien nu over zouden kunnen praten.'

'Jij praat alleen maar over dat stomme afstudeerproject.'

'Dat is niet waar,' stuift hij verontwaardigd op. 'Ik vertelde het omdat ik je wilde zeggen dat we misschien wel een huis kunnen kopen als ik klaar ben met mijn studie. Als ik werk heb, is het mogelijk om naar een grotere woning in een kindvriendelijke wijk uit te kijken. Over een jaar is waarschijnlijk alles anders. Je mag binnenkort weer gewoon zwanger worden. Waarom zouden we over een jaar dan geen gezonde baby hebben?'

'Wat heb ik daar nou aan?'

'Ik weet best dat je daar nu niets aan hebt. Ik weet dat je verdriet hebt, maar vergeet niet dat ik dat ook heb. Wat wil je nu eigenlijk? Wil je dat ik hier bij je ga zitten janken?'

'Het is in ieder geval beter dan...'

'Hou op, Lia. Hou alsjeblieft op met die verwijten.'

'Ik...'

Ze ziet ineens hoe hij driftig in z'n ogen wrijft. 'Ik weet het niet meer,' hoort ze hem zeggen en als ze haar armen om hem heen slaat, meent ze ineens dat er tussen hen niets is veranderd.

Een uur later liggen ze in bed. Yannick heeft zijn arm om haar heen geslagen. Zo vult hij haar leegte een beetje op. Het gesprek dat ze met hem heeft gevoerd heeft haar opgelucht. Nu voelt het tussen hen weer goed. Ze luistert naar zijn regelmatige ademhaling. Zo zou het tussen hen moet blijven. Het duurt niet lang voordat ook zij in slaap valt.

Ze moet hebben gedroomd dat ze een miskraam had, want de baby in haar armen hoort toch echt bij haar. Als ze opzij kijkt, blijkt Yannick naast haar te zitten en ze heeft hem nooit eerder zo gelukkig gezien. Zij voelt ook geen leegte meer. Met heldere ogen kijkt de baby haar aan.

'Hoe heet ze?' wil Yannick dan weten.

'Ze? Hij! Het is een jongen,' reageert ze verbaasd. 'Hoe kom je er nou toch bij dat het een meisje is?'

'Welnee, het is een meisje. Ik heb toch zelf gezien dat het een meisje is.' Hij wil haar het kind afnemen, maar ze laat het zich niet afnemen.

'We moeten het ruilen als dit een jongen is,' hoort ze hem zeggen. 'Dan hebben we de verkeerde meegekregen.' Hij trekt zo hard aan het armpje van de baby dat ze bang is dat hij het zal breken. En waar komt het geluid van die bel vandaan?

'Als de bel gaat, kun je de baby ruilen,' zegt Yannick.

'Nee, dit is mijn kind, mijn jongen!' Ze wil hem tegenhouden. Waarom houdt die bel niet op?

'Lia, wat doe je?'

Verwezen kijkt ze in het bezorgde gezicht van Yannick en meteen beseft ze dat ze gedroomd heeft, dat er geen baby is. Geen jongen en geen meisje. Alleen het geluid van die bel blijft aanhouden.

'Ik ga kijken wie er nu nog aan de deur staat,' zegt Yannick.

Het is vreemd. Voordat hij het bed uit gaat, weet zij al wie het zal zijn.

12

Langzaam maar zeker neemt Lia's wanhoop toe. Een week geleden is het nu dat Coby helemaal overstuur aan de deur stond. Lia zag direct dat haar vrolijk genopte bloesje een aantal knopen miste. Later begreep ze dat die vader nog veel meer deed dan te veel drinken. Ze huivert nog bij het idee dat een vader in staat is om zijn dochter zoiets aan te doen.

Naast medelijden en afschuw had ze ook vertwijfeling gevoeld. Al heel snel besefte ze dat dit voor Yannick en haar grote consequenties zou hebben. Er kon geen sprake van zijn dat Coby weer naar huis ging.

Hoe moest het nu verder? Blijft Coby bij hen?

'Er moet hulp komen,' hield ze Yannick voor. 'Wij kunnen dit samen niet. Het zal het einde van ons huwelijk betekenen.'

'Daar zijn we nog altijd zelf bij. Coby heeft toch niets met ons huwelijk te maken?'

Er is een muur tussen Yannick en haar opgetrokken. Ze zijn al zo lang samen. Ze meende hem door en door te kennen, begon vol vertrouwen aan hun huwelijk. Die zekerheid was ze snel kwijt. Door toedoen van Coby was die ondoordringbare muur er gekomen. Of was het niet eerlijk om alles op haar schouders te leggen? Was het feitelijk al begonnen toen Yannick afstand van zijn familie nam?

In ieder geval is hij onbereikbaar als het om Coby gaat. Of ze nu voorstelt om Coby aangifte te laten doen of om hulp van buitenaf in te schakelen, hij wil er niets van horen. Hij blijft met oneerlijke verwijten komen. Ze weet dat ze niets wil afschuiven, dat ze echt niet jaloers is. Hij blijft volhouden van wel.

Hij lijkt doof en blind voor haar argumenten. Ze zijn haast nooit meer samen, en als het wel even zo is, dan praten ze over Coby.

Zo beheerst Coby hun huwelijk en hun leven.

Er lijkt geen uitweg.

Yannick kan het traject Zwartburg-Groningen, dat hij al zo'n jaar of vier vaak meer dan driemaal per week met de trein aflegt, dromen. Vaak heeft hij die tijd benut om nog een studieboek door te kijken, maar tussendoor heeft hij de jaargetijden voorbij zien komen. Verstilde grauwe landschappen in de winter, die in de lente tot leven kwamen. Hij zag het jonge groen ouder worden in de zomer, om zich in de herfst met warme kleuren voor te bereiden op de winter. De reis heeft hij nooit als onaangenaam ervaren.

De laatste tijd is het net alsof hij die reis tussen universiteit en thuis nog meer waardeert. Studieboeken leest hij niet meer, met gesloten ogen laat hij zijn gedachten de vrije loop. Coby is nu een week bij hen in huis en in die week is de spanning opgelopen. Hij probeert het te negeren, maar het lijkt net of hem dat steeds minder lukt. Waarom begrijpt Lia toch niet dat hij niet anders kan dan Coby een warme plek aanbieden waar ze zich veilig kan voelen? Zij was die nacht toch ook helemaal ontdaan geweest? Zij had het ook vreselijk gevonden wat Coby door haar vader werd aangedaan. Natuurlijk kan de situatie niet altijd blijven zoals die nu is, maar ze moeten ervoor zorgen dat Coby nu niet het gevoel krijgt dat ze ook bij hen niet veilig is. Zelf gaf ze aan dat ze in geen geval aangifte wilde doen bij de politie. Dat moesten ze nu respecteren. Waarschijnlijk had het allemaal tijd nodig. Coby moest tot zichzelf komen en dan zou ze vast de moed kunnen opbrengen om haar vader aan te geven. Die schoft mocht zijn straf niet ontlopen. Hij begreep ook niets van haar moeder. Een moeder beschermde haar dochter toch?

De trein mindert vaart. Hij opent zijn ogen en kijkt recht in het gezicht van een knappe jonge vrouw met een hoofddoek die tegenover hem zit. Ze wendt haar blik af naar buiten, terwijl hij zijn ogen weer sluit.

Hij had aan Coby gevraagd waarom haar moeder niet had ingegrepen. Als hij aan haar antwoord denkt, voelt hij weer afschuw. 'Sommige moeders vinden het alleen maar makkelijk als hun man geen interesse in hen heeft.'

Misschien mocht hij over zijn eigen moeder nog niet eens zo hard klagen. Hij herinnert zich nog hoe kwaad ze was geweest toen ze meende dat hem op school onrecht werd aangedaan door een leraar. Destijds had hij zich geschaamd omdat ze geen moment had geaarzeld, maar direct een gesprek met de betrokken docent had aangevraagd. Hij was doodsbenauwd geweest dat ze aangeschoten naar school zou gaan. Tot zijn opluchting was het bij een telefoongesprek gebleven. De leraar had hem later zijn excuus aangeboden. Zijn moeder zou het niet hebben toegelaten dat er ook maar iemand een vinger naar hem uitstak, ook niet als dat zijn vader zou zijn.

De trein nadert het station. Hij zucht, opent opnieuw zijn ogen en ziet dat de jonge vrouw tegenover hem haar tas pakt. Ze groet hem vriendelijk als ze opstaat terwijl ze het station binnenrijden. Met trage gebaren trekt hij zijn korte leren jasje aan en volgt haar door het gangpad. Hij moet zich vasthouden als de trein stopt. Met een klap gaan de deuren open. De menigte voor de uitgang dromt naar buiten. Hij laat zich meevoeren.

Bij de pinautomaat houdt hij halt om geld op te nemen. Nadat hij zijn pincode en het bedrag dat hij wil opnemen heeft ingevoerd, wacht hij op zijn geld. Het groene scherm geeft hem te kennen dat hij te weinig saldo op zijn rekening heeft staan. Hij uit een verwensing en stopt zijn pinpas terug in zijn portemonnee. Dit is hem nog nooit overkomen. De reden kent hij: Coby. Ze had geld nodig om wat kleding te kopen, om wat make-up te kopen, ze moest naar de kapper. De kosten waren heel snel opgelopen. Wat moest hij doen? Lia moet dit maar niet weten. Het zou haar alleen bevestigen in haar idee dat er hulp van buitenaf moest komen. Hij weet zeker dat hij dat niet zal doen, maar hij weet nu ook niet hoe hij het wel moet aanpakken.

Thuis staat Coby bij het fornuis.

'Lia is naar Felia gegaan en ik had toch niets te doen, dus

ik vond dat ik wel vast kon gaan koken. Hoeft Lia het niet meer te doen als ze straks thuiskomt,' zegt ze opgewekt. Hij reageert nauwelijks. 'Je vindt het toch niet erg?' informeert ze direct gealarmeerd.

'Nee, ik vind het niet erg.' Hij neemt haar op terwijl ze verwoed door een sausje staat te roeren.

'Misschien kunnen we buiten zitten,' zegt Coby gerustgesteld. 'Het is nog zulk heerlijk weer. Als jij straks de tafel wilt dekken?'

'Ik zal de borden alvast pakken.' Hij opent de kast waarin Lia hun servies in keurige stapels naast elkaar heeft gezet.

'Yannick?' Haar stem klinkt ineens dun. 'We hadden het laatst over school en zo en dat ik toch m'n opleiding moest proberen af te maken...'

Hij knikt, terwijl hij drie borden op het aanrecht zet. Coby blijft krampachtig roeren, haar gezicht is rood van inspanning. De spijkerbroek die ze draagt, is door haarzelf afgeknipt tot een eind boven haar knieën. Daarboven draagt ze een wijd felroze hemdje, dat losjes rond haar magere bovenlichaam beweegt.

'Het probleem is dat mijn ouders nogal slordig waren met schoolgeld en zo. Als ik verder wil, moet er eerst een aanbetaling worden gedaan.'

'Wat wil je daarmee zeggen?' Het klinkt niet uitnodigend. Coby's stem wordt nog zachter. 'Ik probeer echt werk te vinden, Yannick, maar iedereen is al voorzien. Er is geen werk voor me. Misschien kan ik dit najaar ergens bij een fruitbedrijf appels gaan plukken of zo, maar nu heb ik gewoon niets. Ik vind het zo rot om te vragen...'

'Er staat geen geld meer op m'n rekening,' reageert hij bot. 'Je zult een week moeten wachten voordat ik weer iets heb en ik ben bang dat ik nu toch wat zuiniger moet leven.'

'Dan kan ik misschien maar beter niet meer naar school...' zegt ze timide.

'Daar is geen sprake van. Je moet je opleiding afmaken,' zegt hij nu wat vriendelijker. Hij kan zo slecht tegen dat ongelukkige gezicht van Coby. 'Moet je die aanbetaling al snel doen?'

'Binnen twee weken. Wil je de brief zien?'

'Heb je een brief gekregen?'

'Niet hier, die brief is al voor de paasvakantie binnengekomen. Mijn vader mopperde en schold altijd op school, omdat volgens hem alles veel te duur was. Het probleem was dat mijn ouders aan een doorlopend geldgebrek leden vanwege de drankproblemen van vooral mijn vader.' Coby is gestopt met roeren. 'Maar ik kan jullie daar nu niet mee opzadelen, dat begrijp ik wel.'

'Misschien moeten we toch eens kijken of we geen hulp van buitenaf kunnen krijgen,' oppert Yannick voorzichtig.

'Jij wilt ook van me af,' concludeert Coby onmiddellijk.

'Dat is niet eerlijk. Je weet dat je hier welkom bent, maar ik denk dat er mogelijkheden zijn om wat ondersteuning te krijgen. Financieel kunnen Lia en ik ons goed redden, maar er moeten niet zo heel veel gekke dingen gebeuren.'

'Ik denk er toch over om hier weg te gaan.' Ze strijkt met een vermoeid gebaar over haar voorhoofd. 'Ik merk echt wel dat het tussen jullie niet goed gaat, omdat Lia het niet fijn vindt dat ik er ben.'

'Dat zie je verkeerd...'

'Dat is niet waar. Wees nou eens eerlijk.'

'Nou ja, ze heeft het momenteel een beetje moeilijk omdat ze net een miskraam heeft gehad. Daardoor kan ze af en toe wat onredelijk zijn.'

'Vóór die miskraam vond ze het net zo moeilijk.'

'Ik denk dat ze aan de situatie moet wennen. Ze wil zeker niet dat je teruggaat en dat je vader je dan weer...'

'Wat moet ik dan?'

'Coby, je bent een volwassen vrouw. Je bent niet afhankelijk van je ouders.'

'Wie betaalt mijn opleiding dan?'

'Daarvoor wilde ik een oplossing zoeken, maar op korte termijn zal dat niet lukken.' Nadenkend kijkt hij haar aan. Ze ziet eruit alsof ze elk moment in tranen kan uitbarsten. 'Lia en ik hebben een spaarrekening. We kunnen je best wat geld voorschieten.'

'Ik kan dat toch niet van jullie vragen?'

Ze is zo iel, zo kwetsbaar. Ze lijkt zo jong op dit moment. Het ontroert hem. 'We gaan gewoon met kleine stapjes vooruit. Je zult je moeten inschrijven voor woonruimte. Daar is niets aan te doen. Je krijgt nu studiefinanciering. Die gaat omhoog als je niet meer thuis woont, maar je kunt ook een lening krijgen. Er moeten gewoon mogelijkheden voor je zijn om verder te studeren. Ik ga het allemaal voor je uitzoeken.' Hij streelt haar wang. 'We laten je echt niet in de steek.'

De gedachte aan hun spaarrekening heeft hem opgelucht. Lia hoeft het niet te weten. Sinds hun trouwen heeft hij de geldzaken geregeld. Zolang hij maar zorgt dat er genoeg geld op haar rekening staat, zodat Lia niet voor verrassingen komt te staan bij de pinautomaat, is er niets aan de hand. Later zal hij het geld wel terugstorten. Hij zal zo snel mogelijk informatie inwinnen over de studiefinanciering van Coby.

'Je krijgt nu toch wel studiefinanciering?' wil hij weten.

'Die is gestopt toen ik doorgaf dat ik met school ben opgehouden.' Ze kijkt onschuldig. Hij denkt er verder niet over na, opgelucht als hij is over de oplossing die hij gevonden denkt te hebben.

'Ik blijf natuurlijk gewoon naar een baantje zoeken.' Ze pakt de lepel weer op. De saus is aangekoekt.

'Doe maar,' zegt hij tevreden. 'Zal ik dan nu de borden maar naar buiten brengen?'

Deze dagen zal hij wat extra aandacht aan Lia besteden, neemt hij zich voor. Hij zal haar vertellen dat Coby naar woonruimte op zoek gaat. Dat zal haar opluchten en dan zal ze ook minder negatief over Coby denken, dat weet hij zeker. Het zal de sfeer in huis ten goede komen, en daar heeft hij heel erg behoefte aan.

Het is Coby zelf die de volgende ochtend in de weekendbijlage van de regionale krant het kleine artikel ontdekt: *Expositie van Almanzo uitgesteld*, staat er in een vette kop boven en daaronder: *De officiële opening van de expositie van schilder en beeldhouwer Almanzo wordt tot nader order uitgesteld. Dit gebeurt naar aanleiding van het feit dat zijn meest prominente werk onlangs dusdanig beschadigd is, dat het nog maar de vraag is of het gerestaureerd kan worden. De aangeslagen schilder vertelt dat hij wel een idee heeft wie dit op z'n geweten kan hebben, maar daar uit privacyoverwegingen niet over wil praten. Wanneer de opening nu zal plaatsvinden, is nog niet bekend.*

Coby houdt haar adem in en laat die dan langzaam ontsnappen.

'Is er iets?' Lia kijkt haar oplettend aan.

'Nee, ik lees gewoon de krant.' Snel slaat ze de pagina om. 'Zal ik zo gaan stofzuigen? Dan kun jij nog even lekker rustig aan doen.'

'Ik doe het vandaag zelf wel.' Lia hoort zelf dat het niet toeschietelijk klinkt. 'Misschien wil jij een paar boodschappen voor me doen?' vervolgt ze daarom iets vriendelijker.

Buiten plenst het. Coby zucht.

'Je mag mijn paraplu mee,' biedt Lia aan.

'Ik denk dat ik de regenjas van Yannick wel mag lenen,' denkt Coby. 'Daar kan ik zo heerlijk in wegkruipen dat ik helemaal geen paraplu meer nodig heb.'

Waarom steekt die opmerking Lia zo? Ze buigt zich weer over het gedeelte van de krant dat zij aan het lezen is, maar kan haar gedachten niet bij de berichten houden. Coby doet alsof ze bij hen hoort, dat is het. Ze praat alsof het heel normaal is dat zij de regenjas van Yannick aantrekt, alsof ze hier in dit huis hoort, alsof zij de vrouw is van Yannick.

Wat haar betreft mag Coby vandaag nog naar elders vertrekken. Het is mooi dat ze zich voor andere woonruimte zal inschrijven, maar hoelang blijft ze dan nog bij hen wonen?

Moet ze denken aan een maand, een halfjaar, een jaar misschien?

Weer is er dat gevoel van wanhoop.

'Misschien moeten we zo eerst maar koffiedrinken,' zegt ze ingehouden. 'Daarna kun je dan wel gaan.'

Ze kan ineens nauwelijks wachten tot het zover is.

Een uur – zestig lange minuten – duurt het nog voordat Coby eindelijk met een boodschappenlijst het huis verlaat, gehuld in de donkerblauwe regenjas van Yannick. Hij had direct met haar verzoek ingestemd toen hij even beneden was voor een kop koffie. 'Natuurlijk mag je die jas lenen, maar ik wil die boodschappen straks ook wel even doen. Het plenst gewoon. Je zult door en door nat worden.'

'Coby is niet van suiker,' had Lia met een strak gezicht opgemerkt. Het had haar alweer een verontwaardigde blik van Yannick opgeleverd, maar hij gaf geen commentaar.

Coby had nog eens opgemerkt dat het wel erg hard regende, maar wonder boven wonder leverde dat geen reactie van Yannick op.

Met een zucht van verlichting had Lia haar eindelijk weg zien gaan. Ze had gehoopt met Yannick nog een kop koffie te kunnen drinken, maar hij vertrok weer naar zijn studeerkamer met de mededeling dat hij het druk had.

Verloren zit ze nu in de kamer. Er valt van alles te doen, maar haar handen lijken verkeerd te staan. Ze pakt de krant die Coby even daarvoor had gelezen. Speurend gaan haar ogen over de pagina's naar het logo van een supermarkt dat ze in een flits had gezien toen Coby de pagina omsloeg. Ze was even daarvoor ergens van geschrokken, maar waarvan? Ze vindt het logo. *Echtpaar verongelukt*, leest ze in vette letters op de bladzijde ernaast, en geïnteresseerd leest ze verder. *Bij een eenzijdig verkeersongeval is in de nacht van donderdag op vrijdag een echtpaar uit IJsseldijk (beiden 45 jaar) om het leven gekomen. De auto van het echtpaar raakte in een slip...* Peinzend leest ze de rest. Was dit het bericht dat

Coby raakte? Heeft ze iets met deze mensen te maken? Maar zou ze niet meer van streek zijn geraakt als het om naaste familie zou gaan? Het bericht had iets in haar losgemaakt, maar Lia had niet het idee dat ze echt overstuur was. Langzaam leest ze verder. Bewoners hadden contact met de burgemeester over de problemen in hun wijk. Er zou een onderzoek naar de verkeersveiligheid rond scholen komen, de opening van een expositie werd uitgesteld. Hier blijft haar blik nogmaals haken. Schrok Coby hiervan? Had ze er iets mee te maken? Nadenkend leest ze het bericht door. Wanneer is dat kunstwerk beschadigd? Had die krant niet wat duidelijker kunnen zijn? Ze ziet weer voor zich hoe Coby een week eerder midden in de nacht voor de deur stond. Is het mogelijk dat ze contacten had met die Almanzo? Had hij haar misschien iets aangedaan in plaats van haar vader?

Ze steunt haar hoofd in haar handen. Ziet ze nu spoken? Of is het niet zo raar wat ze denkt? Heeft Coby op deze manier wraak genomen? Dat zou verklaren waarom Almanzo er in de krant niets over kwijt wil. Kan ze dit met Yannick bespreken of wordt hij direct weer furieus?

Ze gaat achterover zitten en sluit haar ogen. Zou dit ooit voorbijgaan? Wordt het tussen Yannick en haar ooit weer zoals het was?

Ze vouwt de krant dicht, ziet Coby alweer aankomen. Nu alweer.

Veel te snel.

Er is nog iemand die het bericht gelezen heeft. Albert heeft de krant weggelegd en weer opgepakt. Almanzo... dat was de kunstenaar met wie Coby destijds had aangepapt.

Hij had zich nog geërgerd omdat hij de naam overdreven vond. ‘Waarom gebruikt die man niet gewoon z’n eigen naam? Er mankeert toch niets aan Ton?’

Later had hij ontdekt dat de kunstenaar wel een stuk ouder was dan zijn dochter en ook dat hij niet zo’n groot kunstenaar was. Hij had Coby nooit meer over hem gehoord.

Destijds had hij er nog naar geïnformeerd, maar ze had kortaf gezegd dat het voorbij was en dat het feitelijk nooit iets had voorgesteld. Coby had hem nooit willen vertellen waar hij Almanzo kon vinden en hij had te veel andere zaken aan zijn hoofd. Hij had zich er nooit actief mee beziggehouden.

Hoe komt het toch dat hij er tegenwoordig steeds mee geconfronteerd wordt dat hij vreselijk tekort is geschoten ten opzichte van Coby? Hij meende dat hij haar naar eer en geweten opvoedde, maar ontdekt nu dat hij maar heel weinig van zijn dochter weet. Veel te weinig.

Dat de naam van Almanzo nu in dit artikel opduikt, stemt hem tot nadenken. Had Gerda niet beloofd om eens na te gaan of ze contact met die man kon zoeken via zijn site? Hij herinnerde zich nog dat ze hem een mailtje met een link had gestuurd, maar dat had hij voor kennisgeving aangenomen. Zou hij haar bericht nog terug kunnen vinden? Van haar had hij er verder ook niets meer over gehoord. Waarom zal hij nu zelf niet op zoek gaan? Dan kan hij Gerda eens wat laten zien. Vol goede moed start hij zijn computer en ontdekt na even rondkijken via de zoekmachine de site van Almanzo. Met opgetrokken wenkbrauwen bestudeert hij de onbegrijpelijke kunstwerken. Onder de link 'Expositie' vindt hij hetzelfde bericht als in de krant. Het blijkt ook mogelijk te zijn om Almanzo's atelier te bezoeken. Hij vindt een document waarop hij kan aangeven dat hij graag van die mogelijkheid gebruik wil maken.

Nergens is het adres van het atelier vermeld. Hij kan niet anders dan zijn gegevens invullen.

Coby trekt de drijfnatte jas van Yannick uit. Haar hart bonst nog steeds met felle slagen. Leek het nou zo of zat Lia de krant te lezen?

In de spiegel in de gang bestudeert ze haar gezicht. In de regen is haar mascara uitgelopen. Ze boent met haar wijsvinger onder haar oog en probeert weer een beetje rustig te worden. Ze moet niet zo nerveus doen. Het is heel normaal dat Lia de krant leest. Als ze zo nerveus is, kan ze niet goed meer nadenken, en juist dat moet ze nu. Rustig blijven, goed nadenken. Yannick is makkelijk om de tuin te leiden. Voor Lia ligt dat anders. De afgelopen week wilde Lia ineens het adres van haar ouders weten. Ze had allerlei bijzonderheden gevraagd. Het is duidelijk dat ze nog meer op haar hoede moet zijn. Als Lia zo doorgaat, heeft ze ook hier al haar langste tijd gehad.

Het is zaak om nu een plan te maken. Allereerst heeft ze geld nodig. Laatst heeft ze een blik op de gezamenlijke spaarrekening van hem en Lia kunnen werpen. Yannick had er niet zo dramatisch over hoeven te doen. Ze kunnen makkelijk wat missen. Dat zal ze hem waarschijnlijk niet aan z'n verstand kunnen peuteren.

Dus moet ze iets anders bedenken.

Ze loopt de kamer binnen. Lia begroet haar alsof ze liever had dat ze nog even weggebleven was. Nou, mevrouw zou niet heel lang meer hoeven te wachten. Om Yannick zou ze willen blijven, maar aan Lia heeft ze steeds meer een hekel gekregen. Het wordt elke dag moeilijker om daar niets van te laten merken.

Ze heeft haar langste tijd hier echt gehad.

13

Natuurlijk krijgt hij geen bericht van die zogenaamde Almanzo. Gerda wrijft hem onder de neus dat het geen handige zet was om zijn eigen naam op het formulier te plaatsen. 'Die man heeft toch zo in de gaten dat je de vader van Coby bent. Ik denk dat hij echt iets te verbergen heeft, anders was hij niet zo vaag gebleven over de dader.'

'Misschien gaat het helemaal niet om Coby.'

'Jawel, ik weet het zeker. Dit is iets voor Coby.'

'Dat zou onze dochter nooit doen,' beweert hij halsstarrig, maar Gerda lacht hem vierkant uit. 'Je kent haar echt niet,' spot ze. 'Die dochter van jou heeft toch bepaalde streken van haar moeder. Als ze mij iets aandoen, kan ik ook hard terugslaan.'

Zijn gevoelens voor Gerda variëren sterk. Op momenten zoals deze, ergert hij zich enorm, maar meestal vindt hij het fijn om haar weer te zien. Gerda zelf maakt hem regelmatig duidelijk dat hij zich niet moet verbeelden dat er tussen hen weer iets kan opbloeien.

'Je idee is prima,' zegt ze nu om haar woorden te verzachten. 'De uitvoering is een beetje ondoordacht. Wat denk je ervan als ik dat atelierbezoek eens aanvraag? Ik heb een andere achternaam dan Coby. Voor alle zekerheid vermeld ik mijn voornaam niet. Je weet nooit of Coby het over me heeft gehad. Als ik een uitnodiging krijg, ga ik erheen.'

'Ik ga met je mee,' zegt hij vastbesloten.

'Dat doe je niet. Mannen staan net iets welwillender tegenover een vrouw en daar wil ik gebruik van maken.'

'Ik weet het niet,' aarzelt hij.

'Het gaat nu even niet om jou of mij, maar om Coby!' Haar felle ogen boren zich in de zijne. 'Denk nu eindelijk eens aan haar in plaats van aan jezelf.'

'Dat kan ik jou ook verwijten!' Zijn stem schiet woedend uit.

'Of wil je beweren dat je aan het welzijn van Jacoba dacht

toen je met de noorderzon vertrok? Heb je ooit met haar gevoelens rekening gehouden? Ze voelde zich afgewezen door haar eigen moeder. Ik kon haar niet steunen. Ik moest zien hoe ik het hoofd boven water kon houden. Je kunt me wel vertellen dat ik die zaak zelf wilde hebben, maar ik had echt een andere afloop in m'n hoofd.'

'En wie heeft er wat aan als wij elkaar over en weer met verwijten bestoken?'

'Jij doet niet anders, Gerda. Je blijft me op m'n fouten ten opzichte van Jacoba wijzen. Kijk eens naar jezelf, daar word je klein van. Ik weet inmiddels wel dat ik een waardeloze vader ben. Als ik het over mocht doen, zou het allemaal anders worden. Ik zie nu dingen die ik eerder niet zag, daar zit het probleem, en ik kan het niet meer terugdraaien.' Hij laat zijn schouders hangen zonder zich ervan bewust te zijn dat dit het is waar Gerda zich zo vaak aan geërgerd heeft.

'Zelfmedelijden,' zegt ze spottend. 'Jij altijd met dat verrekte zelfmedelijden. Doe er toch eens wat aan.'

'En stop jij dan eindelijk eens met die verwijten!'

Ze staan tegenover elkaar. Hij recht zijn rug, zijn ogen ontmoeten de hare. Hij slaat ze niet neer. Nu zou hij willen dat ze eindelijk eens zei dat het haar ook speet, dat zij ook fouten heeft gemaakt.

'Ik zal het proberen,' zegt ze in plaats daarvan. 'Als we iets willen bewerkstelligen, zullen we toch de handen ineen moeten slaan. Ik ga beginnen met dat formulier. Als ik m'n eigen e-mailadres invul kan er toch niets meer misgaan?'

Het is net alsof hij ineens met andere ogen naar haar kijkt. Hij steekt een versgedraaid sjekkie op, ziet haar gebaar van afkeer. Voor het eerst doet het hem niets. 'Doe maar,' zegt hij, voordat hij de rook in haar richting uitblaast.

Op datzelfde moment stapt Yannick uit de trein. Heel even blijft hij op het perron staan. De zon schijnt warm op zijn gezicht. Hij laat de zware tas van zijn schouder zakken en blijft gewoon even staan kijken naar de mensen om hem heen.

Een meisje haalt de jongen die deze reis bij hem in de coupé zat van de trein. Met de armen om elkaar heen wandelen ze over het perron. Iets verderop duwt een buitenlandse vrouw een kinderwagen, druk pratend met de vrouw naast haar. Twee conducteurs haasten zich voort, daarvoor lopen drie jongens die zich geïnteresseerd omdraaien als er een meisje passeert. Op een dag als vandaag lijkt de wereld opgewekter. Mensen praten geanimeerder, lachen meer. Hij zou hier willen blijven staan, te midden van al die passanten, in de warmte van de zon.

Iemand stoot hem aan. Een vrouwenstem excuseert zich. Heel even kijkt hij in haar ogen. Ze glimlacht en loopt voorbij. Hij kijkt haar na, ziet hoe de soepele stof van haar jurk rond haar slanke benen plooit. Ze beweegt zich elegant en snel voort op een paar onwaarschijnlijk hoge hakken. Waarom denkt hij nu aan zijn moeder? Komt het door die schoenen of door de manier waarop ze erop loopt?

Zo loopt alleen een vrouw die het gewend is om vaak zulke pumps te dragen. Zijn moeder had een kast vol. Felia en hij probeerden er in hun jonge jaren wel eens op te lopen. Hij herinnert zich nog hoe hij slap van het lachen heen en weer zwikte.

Vroeger vond hij het mooi als zijn moeder zulke schoenen droeg. Het moet de zon zijn die hem nu dergelijke gedachten bezorgt. Hij slaat zijn tas om de schouder en loopt traag in de richting van de uitgang. Bij het busstation zoekt hij uit welke bus in de richting van de begraafplaats rijdt. Als hij even later heeft plaatsgenomen op de achterste bank toetst hij een berichtje voor Lia in: 'Sorry, ik kom wat later.'

Zon over de zerken, de adem van de wind door de bomen, een lijster zingt. Rondom de dood zegeviert het leven.

Yannick loopt speurend tussen de grafstenen door, spelt namen en zoekt naar herkenningspunten.

Hij probeert zich voor de geest te halen waar hij tijdens de begrafenis van zijn moeder heeft gelopen, welke paden ze toen hebben genomen. Hij is ervan overtuigd dat hij in het nieuwe gedeelte van de begraafplaats moet zijn, maar ook daar zijn al zoveel stenen, zoveel namen.

Er gaat een schok door hem heen als hij toch ineens haar naam ontdekt: Bodil Sijtsma. Z'n boekentas belandt weer op de grond. De steen is van zwart marmer, waarin de naam van zijn moeder in witte letters naar voren komt. Het is geen opvallende steen. Iemand heeft bloemen neergelegd. Hij vraagt zich af wie.

In het suizen van de wind klinken opeens zijn eigen woorden, die hij net na haar begrafenis tegen zijn vader sprak: 'Ik ben blij dat ze dood is.' Nu schrikt hij van die woorden. Haar naam op de steen verdwijnt in een mist van tranen. Hij probeert zichzelf weer onder controle te krijgen, maar ze lijkt hem hier aan te kijken met die felle oogopslag. 'Misschien moet jij eerst maar eens laten zien dat jij het er in je leven beter van afbrengt.' Op haar sterfbed had hij haar met zijn mond vergeven, onder druk van Lia's blik. Hij had haar niet werkelijk kunnen vergeven. Zou ze dat gevoeld hebben?

Hij veegt langs zijn ogen, terwijl haar woorden zich maar steeds in zijn hoofd herhalen. Haar spottende lach echoot in zijn hoofd.

'Ik ben blij dat ze dood is.' Het is een leugen. Hij wil niet dat ze dood is. Ze had hier nog moeten zijn. Hij wil haar vertellen dat er zoveel spanning in zijn huis heerst en dat hij die niet meer aankan. Hij wil haar raad. Ze moet hem geruststellen en hem begrijpen. Waarom is er tussen Lia en hem zoveel veranderd? Hoe kan het dat hij er tegenwoordig tegenop ziet om naar huis te gaan?

Bodil Sijtsma, een naam op een steen.

Hij is geen haar beter dan zij. Zijn huwelijk wankelt nu al en hij weet niet hoe hij dat een halt kan toeroepen. Twee vrouwen dreigen hem te verpletteren, en zijn moeder is een naam op een steen geworden.

Nog één keer werpt hij een blik op die grafsteen. De volgende keer moet hij beslist bloemen meebrengen.

Die avond trekt hij zich, zoals bijna elke avond, in zijn studeerkamer terug. Met lege ogen kijkt hij naar het scherm dat zich heeft geopend nadat hij de computer heeft opgestart. 'Ik ga overmorgen op sollicitatiegesprek,' had Coby hem na het eten toevertrouwd. 'Het lijkt me toch beter om aan het werk te gaan. Ik kan later die studie toch altijd nog afmaken?'

Lia was buiten gehoorafstand. Hij had haar in de tuin zien zitten met een boek waarvan hij zeker was dat ze er niet in las. Af en toe zag hij hoe ze een blik in de richting van de keuken wierp, waar hij met Coby de afwas in de vaatwasmachine deponeerde.

'Ik kan me dan laten inschrijven voor een flat. Als ik maar een inkomen heb. Eerder kom ik nergens voor in aanmerking.'

Hij zag licht in de duisternis. 'Waar ga je solliciteren?' wilde hij weten.

'Bij een kledingwinkel.' Ze draalde wat. 'Je begrijpt wel dat ik er voor dat gesprek goed verzorgd uit moet zien.'

Hij had direct begrepen waar ze naartoe wilde. Met tegenzin had hij geïnformeerd hoeveel ze nodig dacht te hebben.

'Ik moet naar de kapper en nieuwe kleding zou ook goed zijn. Als ik zuinig aan doe, kan ik misschien wel met tweehonderd euro toe.'

'Noem je dat zuinig?'

'M'n haar moet gekleurd worden en bij een goede kapper ben je zo honderd euro kwijt.'

Hij had geen idee wat het kostte. Bij zijn weten had Lia nog nooit één haar gekleurd. Misschien moest hij het maar gewoon als investering in zijn relatie met Lia zien.

'Ik zal het zo naar je rekening overmaken,' beloofde hij. Wel had hij zich even afgevraagd waar het geld voor haar studie was gebleven, maar hij durfde het niet te vragen. Het zou weer een hoop gedoe opleveren. Coby zou denken dat hij achterdochtig was, ze zou teleurgesteld zijn en denken dat hij haar niet vertrouwde. Daar kon hij zo slecht tegen.

Hij zou er later wel op terugkomen. Als ze niet meer studeerde, zou ze het geld toch wel teruggestort krijgen?

Er wordt op de deur geklopt en hij weet dat het Coby is. Lia loopt direct zijn kamer binnen als ze hem hier weet.

'Ik wil je bedanken,' zegt Coby. Ze gaat op de punt van zijn bureau zitten.

Hij sluit net de site van de bank. Tweehonderd euro is op weg naar haar rekening. Hun spaarrekening geeft aan dat ze interen, nadat het bedrag jarenlang alleen maar toenam. Hij mag hopen dat Lia binnenkort niet ineens interesse in hun geldzaken toont.

'Waarvoor?' Hij sluit de map waarin hij de toegangscodes bewaart. Volgens Lia is het gevaarlijk om die ergens in te zetten en vooral in een map waarin hij ook nog de codes bewaart die hij voor het overschrijven nodig heeft. Hij zou niet weten waarom. De map verdwijnt in een la die hij zorgvuldig met een sleuteltje afsluit. Dat doet hij ook nu.

'Omdat je zoveel voor me doet,' hoort hij haar zeggen. 'Het is gewoon te gek voor woorden. Waarschijnlijk zou het helemaal verkeerd afgelopen zijn als ik hier niet had mogen blijven. Ik ben je zo dankbaar.'

Hij wacht even met het sleuteltje op te bergen, maar houdt het stevig in zijn hand. 'Als je straks een baan en een flat hebt, trakteer je Lia en mij maar eens op een etentje,' stelt hij luchtig voor.

'Ik mag je de rest van mijn leven wel op etentjes trakteren als ik wat terug wil doen.'

'Nu overdrijf je.'

Ze lacht en geeft hem een kus op zijn wang. 'Reken er maar op dat ik voor jullie klaarsta als jullie ooit in de problemen komen.'

'Daar houd ik je aan.'

Hij wacht totdat ze de kamer weer heeft verlaten. Snel loopt hij naar de boekenkast en schroeft het deksel van een oude suikerpot die in vroeger dagen zijn oma toebehoorde.

Onverwacht gaat de deur weer open. 'Ik vergat nog te vertellen dat ik nu een eindje ga hardlopen,' hoort hij Coby zeggen. 'Van al dat zitten word ik vet. De huissleutel zit in m'n zak, dus als jullie nog weg willen, kun je de deur gewoon op slot doen.'

Zijn sleutel valt rinkelend in de pot. Coby sluit de deur. Hij schroeft zorgvuldig het deksel op de pot.

Dit was het café, Albert weet het zeker. Hij staat aan de overkant van de straat en aarzelt. Dit was het café waar hij bijna uitgegooid werd. Al was hij die avond verre van nuchter, hij herinnert zich de oubollige naam in flitsende letters nog heel goed. Op zijn horloge ziet hij dat het bij elven loopt. Door de straat boordevol uitgaansgelegenheden lopen groepen jonge mensen. Sommige meisjes lijken nog zo jong dat hij zich afvraagt wat hun ouders bezielt. Hij had niet gewild dat Jacoba uitging, maar toen ze achttien werd kon hij haar niet langer tegenhouden. Misschien is dat zijn enige respectabele beslissing geweest. Weer is er die herinnering aan de avond dat hij hier naar binnen ging en de bedreigingen van de man achter de bar naar z'n hoofd geslingerd kreeg. Ondanks zijn tamelijk verregaande dronkenschap had hij toch gevoeld dat die man Jacoba kende. Hij pakt zijn pakje shag uit de zak van zijn jas en begint omstandig een sjekkie te draaien. Onafgebroken staart hij naar de ingang van De Oude Herberg met de stille hoop dat hij ineens Jacoba zal zien. Om zijn gang naar dat café wat uit te stellen, steekt hij de sigaret ook aan en inhaleert diep.

Hoe groot is de kans dat de barkeeper hem na anderhalve maand nog herkent? Het liefst zou hij omdraaien, maar hij wil niet langer een lafaard zijn. Hij blijft staan en rookt.

'Je bent lang genoeg met jezelf bezig geweest,' zei Gerda laatst. Hij vermant zich, drukt de sigaret met zijn schoen uit en steekt over. Als hij de deur opent, gaat zijn hart zo tekeer dat hij even bang is dat hij hier ter plekke zal neervallen.

Er zijn weinig mensen in het café. Niemand besteedt aandacht aan hem als hij in de richting van de onbemande bar loopt. Hij heeft een strategie uitgedacht. Gewoon rustig een kopje koffie drinken aan de bar, daarna misschien een biertje. Ondertussen zal hij een praatje aanknopen en dan zal hij heel voorzichtig over Jacoba beginnen. Mocht die man hem toch herkennen, dan zal hij vragen waarom hij zo boos is. In ieder geval is het zaak dat hij rustig en beheerst blijft. Op dit moment lijkt hem dat een onmogelijke opgave.

Wat moet hij doen als die man hem wel herkent, maar hem niet zal willen aanhoren? Moet hij Gerda dan hier ook op afsturen? Hij hoort haar al lachen. Laatst vroeg hij haar of ze het beter had getroffen met haar huidige man. 'Veel beter,' zei ze. 'Echt veel beter. Hij draagt me op handen.' Hij had dat niet moeten vragen en hij moet daar op dit moment helemaal niet aan denken.

Er komt een jonge vrouw aanlopen. Ze glimlacht naar hem, loopt om de bar heen en informeert wat hij wil drinken. Albert kijkt haar aan of hij water ziet branden.

'Nog nooit een vrouw achter de bar zien staan?' Alle vrouwen lijken tegenwoordig de spot met hem te drijven.

Hij herstelt zich, bestelt koffie en informeert of 'die meneer' er ook is.

'Die meneer?' herhaalt ze. Ondertussen zet ze een kopje onder het koffieapparaat en drukt een knopje in. Dan kijkt ze hem met opgetrokken wenkbrauwen aan. 'Kunt u zich iets duidelijker uitdrukken?'

'Ik was hier een tijdje geleden ook en toen stond er een meneer achter de bar. Die wil ik graag iets vragen.'

Nu glimlacht ze, terwijl ze de koffie voor hem neerzet. 'U bedoelt waarschijnlijk Jeroen? Het ging om een jonge man?'

'Wel wat ouder dan u bent.' Om zich een houding te geven begint hij door zijn kopje te roeren.

'Blond, niet zo lang, brede schouders,' somt ze op.

'Zo goed heb ik hem niet bekeken, maar het is goed mogelijk.'

Hij moet even wachten als ze bier wegbrengt naar een jong stel aan een tafeltje. Verstolen blikt hij om zich heen. Zou Jacoba hier echt zijn geweest? En wat vindt ze hier dan? Zelf krijgt hij het idee dat ze hier niet overlopen van vriendelijkheid. Of zouden ze tegenover Jacoba toeschietelijker zijn? De jonge vrouw loopt met twee glazen om de bar heen in de richting van het tafeltje. Haar lichtblauwe spijkerbroek zit als een tweede huid rond haar benen; daarboven draagt ze een knalgeel hemdje dat fel tegen haar gebruinde gezicht en armen afsteekt. Haar paardenstaart zwiept met elke beweging mee. Ze glimlacht naar hem als ze zijn blik vangt nadat ze de glazen heeft afgeleverd.

'Jeroen is twee weken geleden voor een jaar naar Australië vertrokken. Wilde u iets speciaals van hem?' Zo had hij het zich niet voorgesteld. Hij had gedacht dat hij Gerda morgen zou kunnen imponeren, maar opnieuw staat hij met lege handen.

'Nee,' haast hij zich te zeggen. 'Ik ben hier toen eens geweest en we hadden het over een meisje dat familie van me was en dat hier wel kwam. Ik had haar al een tijdje niet gezien en wilde aan hem vragen of hij wist waar ze verbleef.'

Ze fronst haar wenkbrauwen. 'Ik denk niet dat ik u verder kan helpen. Hier komen zoveel meisjes. Hoe heet ze?'

'Jacoba,' zegt hij en opnieuw rimpelt ze haar wenkbrauwen. 'Coby,' verbetert hij zichzelf snel.

Ze schudt haar hoofd. De lange pony die vlak boven haar donkere ogen hangt, zwaait mee. 'Die naam heb ik hier nog niet horen vallen, het spijt me.'

Er komt een meisje naast hem staan. Ze bestelt een mixdrankje en terwijl ze op haar bestelling wacht, kijkt ze hem geringschattend aan. Hij drinkt snel z'n kopje leeg. Als hij even later weer buiten staat, voelt hij zich honderd.

Lia zit op het bankje in hun donkere tuin. Het is bijna middernacht, maar bij de buren is nog volop leven. 'We houden morgen een feestje ter ere van de vijfentwintigste verjaardag van mijn vriendin,' had de buurman gisteravond aangekondigd. 'Als jullie ook zin hebben, zijn jullie van harte welkom. In ieder geval kan het wel wat laat en rumoerig worden.'

Lia had zijn uitnodiging vriendelijk maar beslist afgewimpeld. Haar hoofd staat niet naar een feestje. Hoe kan ze met zoveel leegte in zich voorwenden dat ze vrolijk is?

De buurman had niet overdreven met zijn veronderstelling dat het wel laat en rumoerig kon worden. Er wordt meegezongen met Frans Bauer, er klinkt gelach. Ze hoort gesprekken aan de andere kant van de heg, die op luidruchtige toon gevoerd worden om boven de muziek uit te komen. Boven licht de ronde maan de hemel op.

'Wat doe jij hier?'

Ze heeft Yannick niet horen komen. Hij slaat zijn armen om haar heen. 'Zit je naar de buren te gluren?' vraagt hij plagerig. Ze maakt zich los uit zijn armen. 'Ik kon niet slapen.'

'Het is ook wel een rotherrie.'

'Dat is het niet. 's Nachts lig ik zo vaak te denken en juist dan lijken die gedachten donkerder en beangstigender.'

Hij schuift een eind bij haar vandaan.

In de tuin van de buren zingt Frans Bauer. *'Hee lekker ding hoor ik je zeggen. Dan hoef je niets meer uit te leggen.'* Het hele gezelschap brult mee.

'Heb jij dat ook weleens?' vraagt ze.

Hij haalt zijn schouders op. 'Als ik niet kan slapen, denk ik aan zoveel.'

'Waaraan of aan wie dan?'

Yannick staat op. Hij heeft er spijt van dat hij naar buiten is gekomen.

'Gewoon, aan m'n studie en aan m'n moeder.'

'Denk jij ooit nog aan onze baby?'

In het donker kan hij haar gezichtsuitdrukking niet zien, maar hij weet zeker dat ze hem nu beschuldigend aankijkt. 'Je zult me wel een zeur vinden,' gaat ze verder, 'ik voel me soms ook een zeur. Ik wil het leven weer oppakken en verdergaan. Ik wil weer gewoon worden wie ik was, maar het lukt me niet meer.'

Hij gaat toch weer naast haar zitten. 'Ik ga naar m'n werk,' vervolgt ze, 'maar ik hoor er niet meer bij. Er is iets wezenlijks in me veranderd.'

'Je moet er de tijd voor nemen.' Hij weet niet wat hij anders moet zeggen.

'De tijd? Hoe kan ik er de tijd voor nemen als er nooit meer over wordt gepraat? De babykamer is het domein van Coby geworden. Misschien ben je wel blij dat het op een miskraam is uitgelopen. Het kwam in ieder geval heel goed uit.'

Hij kan nog net een zucht onderdrukken. 'Je weet dat het niet zo is. Coby gaat naar werk en woonruimte zoeken. Ze heeft haar langste tijd bij ons gehad. Als je nog zwanger was, hadden we een andere oplossing moeten zoeken. Dit is een samenloop van omstandigheden die we geen van allen gewild hebben.'

'Je loog tegen mij alsof ik een kind was...' wordt er nu uit volle borst in de buurtuin gezongen. Het is net of de stemmen steeds luider klinken.

'Ons gevoel zit toch niet in die babykamer?' vervolgt Yannick. 'Verdriet zit in ons hart. In óns hart, niet alleen in het jouwe. Maar in mijn hart zit tevens hoop, want de arts vertelde dat er niets op tegen is om opnieuw zwanger te worden.'

'Ik zal bang zijn dat het opnieuw misgaat.'

'Dat kan, maar het is ook goed mogelijk dat we straks een gezonde baby krijgen. Dit zijn de wonderen van het leven, en juist door deze miskraam is het me nog duidelijker geworden dat het krijgen van een baby een wonder is. We kunnen veel zelf regelen, maar we hebben niet het laatste woord.'

'Zulke dingen heb ik jou nog nooit horen zeggen,' verbaast ze zich.

'Ik heb het ook nog nooit zo duidelijk gevoeld.'

Als ze in zijn ogen kijkt, lijkt hij ineens weer de Yannick die hij was. Yannick van voor Coby. Yannick met wie ze trouwde. Hun verbondenheid is terug. Terwijl in de tuin van de buren nog steeds keihard met Drukwerk wordt meegezongen, drukt Yannick zijn lippen op de hare. Boven sluit Coby zachtjes haar slaapkamerraam.

14

Vandaag zou Bodil jarig zijn geweest. Sierd wast zijn handen. De laatste operatie voor vandaag zit erop. Het is goed dat het druk was, zodat hij zijn gedachten niet bij Bodil kon bepalen. Toen hij uit bed kwam, had het hem verwonderd dat deze dag hem zo raakte. Vorig jaar had Bodil hem er op haar verjaardag helemaal niet bij willen hebben. Felia en Simon waren er samen geweest, Yannick had in eerste instantie geweigerd, maar was later met tegenzin overstag gegaan. Een gebroken gezin waren ze in die tijd, en daar is nog niets aan veranderd.

Iemand duwt de kraan dicht. Hij kijkt in het lachende gezicht van een van de OK-verpleegkundigen.

'Sorry,' verontschuldigt hij zich. 'Ik was even met m'n gedachten elders.'

'Nu mag het.' Haar bruine ogen twinkelen. Ze is jong. Ooit was Bodil ook zo geweest. Hij had haar in het ziekenhuis leren kennen. In die tijd was hij zelf als arts-assistent ongekend populair bij de verpleegkundigen. Alleen Bodil deed alsof hij lucht was. Dat had hem geïntrigeerd. Ze was mooi, ongenaakbaar en ging haar eigen gang. Hij wilde haar veroveren. Zij was niet geïnteresseerd. Hij had het niet opgegeven en uiteindelijk had ze toegestemd toen hij haar vroeg om met hem uit eten te gaan. Als hij naar deze jonge verpleegkundige kijkt, lijkt het heel lang geleden. Hij wordt oud, al had Felia laatst nog het tegendeel beweerd. 'Pap, je bent vijfenvijftig en dat is nog lang niet oud. Waarom laat je het verleden niet los? Je kunt opnieuw beginnen. Heb je niet lang genoeg geleden onder de problemen van mama? Ik zou je graag een nieuwe partner gunnen en ik weet zeker dat Yannick er ook zo over denkt.'

Waarom kan hij dat verleden niet loslaten? Hij krijgt een aardige buurvrouw. Ze is jong, ze is knap en ze is ongelooflijk aardig. Eergisteren had ze bij hem aangebeld om te zeggen dat ze het appartement had gekocht. Hij had het fijn gevonden en zij had gezegd dat ze het prettig vond om hem als buurman te krijgen. 'Ik hoop dat we nader kennis kunnen maken als ik hier mijn intrek heb genomen,' had ze gezegd. Zou het mogelijk zijn om met deze vrouw een nieuw begin te maken?

'Dokter Bergsma, lijkt het maar zo of bent u alweer met uw gedachten elders?'

Opnieuw zoeken die spottende bruine ogen de zijne. 'Ik word oud,' zegt hij. 'Oude kerels beginnen te suffen.'

'U, een oude kerel? Nu vist u naar complimentjes.'

Hij lacht en droogt zijn handen af. De toekomst zal het uitwijzen.

De verjaardag van zijn moeder. Yannick zit in de bus die hem in de richting van de begraafplaats voert. Hij heeft bloemen meegenomen. Niemand weet ervan dat hij op zijn vrije dag naar het graf van zijn moeder gaat. Zowel Lia als Coby was naar haar werk. Sinds een paar weken had Coby tijdelijk werk als schoonmaakster, zowel in de ochtend- als in de avonduren. Voor Lia en hem was dat een opluchting. De aanwezigheid van Coby drukte steeds zwaarder op hun relatie.

Zijn handen voelen plakkerig rond het cellofaan van de zalmroze rozen die hij in de bloemenwinkel heeft gekocht. Hij legt ze naast zich neer op de lege stoel en kijkt naar buiten waar de druilerige septembermorgen de wereld in grijsheid dompelt. Hij wilde dat hij nooit aan Coby begonnen was. Die gedachte komt ineens in hem op, en schokt hem.

Hij probeert zich op de buitenwereld te concentreren, het vele verkeer in de straten, de lesauto voor de bus, het spandoek dat de campagne 'De scholen zijn weer begonnen' ondersteunt. Hij kijkt naar het achterhoofd van de buschauffeur, die op zijn stoel meedeint met de hobbels in de weg.

'Misschien moeten we eens aan een ander autootje denken,' zei Lia vorige week plompverloren. 'Binnenkort staat de keuring weer op stapel en ik weet zeker dat we dan voor hoge kosten staan. Dat is deze auto niet waard.'

'Denk je niet dat we er nog een jaartje mee kunnen doen?' De schrik was Yannick om het hart geslagen. Koortsachtig zocht hij naar redenen om de koop nog even uit te stellen. 'Volgend jaar heb ik hoogstwaarschijnlijk een baan, dan gaat het allemaal veel makkelijker.'

'We hebben toch genoeg op de spaarrekening staan. Weet jij hoeveel het precies is?' Haar onderzoekende blik leek dwars door hem heen te kijken. Hij dacht dat ze aan hem kon zien dat er iets niet klopte. Tot zijn ergernis begon hij te hakkelen.

'Nog genoeg, waarschijnlijk. Nee, zeker, natuurlijk. Ik weet niet precies hoeveel...'

'Je kunt het toch zo even op de computer opzoeken?'

'Ik heb nu geen tijd. Van de week zal ik voor je kijken.'

'Jij hoeft dat niet te doen, ik kan het zelf ook.'

'Laat mij dat nou maar even doen.'

Ze was er niet op teruggekomen, maar hij wist zeker dat ze het er niet bij zou laten zitten. Dan was zijn huwelijk misschien wel voorbij.

Ineens was Coby ook voor hem een storende factor geworden. Die gedachte drong zich steeds op, hoe hard hij er ook tegen vocht.

De bus nadert de halte bij de begraafplaats. Opgelucht stapt hij uit. Op z'n dooie gemak steekt hij de weg over en slentert even later onder het viaduct door, over de smalle weg die in de richting van de begraafplaats voert. Het heeft de afgelopen nacht geregend. Zwaar hangt het vocht nog in de lucht, hoewel de zon alweer door de grijze wolken heen prikt.

Vorig jaar leefde zijn moeder nog.

Hij wilde niet naar haar verjaardag, ook niet toen Lia zei dat het waarschijnlijk haar laatste verjaardag zou zijn. Hij wist zich geen raad met de situatie. Uiteindelijk was hij toch gezwicht. Nu ziet hij voor zich hoe ze keek toen hij binnenkwam. Ze was blij dat hij er was.

Waarom ziet hij de laatste tijd steeds de ogen van zijn moeder voor zich? Hoe komt het dat er steeds vaker goede herinneringen aan haar bij hem bovenkomen? De feestjes die ze voor hem organiseerde toen hij nog op de basisschool zat. Haar steun toen het op school niet zo goed ging en zijn vader kwaad werd. Een mooie zomerdag waarop ze ineens met het voorstel kwam om naar zee te rijden. Ze brengen heimwee in hem boven dat hem emotioneert en kwetsbaar maakt. Het is net alsof die andere herinneringen er steeds minder toe doen. De dagen waarop hij zich voor haar schaamde. Het moment toen hij haar nodig had en zij giechelend op de bank bleef verkondigen dat ze niets te veel had gedronken. Steeds vaker worden ze doorkruist door die andere. Misschien komt het door de spanningen die hij in zijn leven ervaart. De angst die de kop op heeft gestoken nu Lia vast en zeker de spaarrekening zal willen zien. Hij voelt zich onzeker.

Kreunend draait het hek van de begraafplaats open als hij er met zijn schouder tegenaan drukt. Zijn voeten knerpen op het grind. In de verte klinkt het geluid van een grasmaaier. Doelbewust loopt hij op haar graf af, en met elke stap die hij in die richting doet, raakt hij er meer van doordrongen dat ze er nooit meer voor hem zal kunnen zijn.

Een uur later is hij terug bij de bushalte, met een hoofd dat net zo leeg aanvoelt als zijn handen die niet langer de bloemen dragen. Keurig op tijd houdt de bus voor hem stil. Tussen de bijna lege banken door, loopt hij naar achteren om op de laatste bank plaats te nemen.

'Wil je me niet zien?' De bus is nog maar net opgetrokken als ze naast hem neerploft. 'Je liep zomaar langs me heen.' Coby lacht, maar hij hoort duidelijk onzekerheid en toch ook verontwaardiging in haar stem.

'Ik verwacht je toch ook niet in deze bus? Jij hoort aan het werk te zijn. Hoe haal je het in je hoofd om hier in de bus te gaan zitten?' Hij signaleert ineens hoe teleurgesteld hij is. Dit ritje had een rustig ritje moeten worden. Hij hoopte nog even ongestoord te kunnen nadenken, niet meteen weer Coby, niet weer die sores.

Hij schaamt zich voor zijn gedachten.

'Wat is er aan de hand?' informeert hij met tegenzin.

'Ik ga niet meer terug,' verklaart Coby heftig. 'Ik ben niet langer van plan de rotzooi van anderen op te ruimen en steeds te horen dat ik het niet goed doe. Laat ze zelf die plee gaan poetsen.'

Haar woorden maken wanhoop in hem los.

'Je moet verder denken dan je neus lang is,' zegt hij. 'Schoonmaken zal best vervelend zijn, maar het geld dat je ermee verdient is wel een opstapje naar een eigen flat.'

'Jij wilt me net zo graag kwijt als Lia,' valt Coby uit. 'Je doet wel heel aardig en je neemt het zogenaamd voor me op, maar in je hart wil je me ook gewoon het huis uit hebben. Ik voel heus wel dat ik te veel ben.'

'Coby, nu weet je zelf ook dat je niet eerlijk bent...' probeert hij.

'Niet eerlijk? Wie is er niet eerlijk?'

De bus mindert vaart.

'Zeg het dan! Wie is er niet eerlijk?' Haar stem klinkt te hard.

De buschauffeur kijkt in zijn spiegel. Yannick voelt zijn blik, evenals de blikken van de mensen voor hem die onopvallend over hun schouder proberen te kijken.

'Laten we er thuis over praten.' Hij dempt zijn stem.

'Laten we er thuis over praten,' bauwt ze hem na. Coby dempt haar stem niet. 'Je bent ook zo bang voor de mening van anderen. Wat zullen de mensen in deze bus wel niet denken?'

'Coby, toe...'

De bus stopt. Voorin zwaaien de deuren open, maar als Coby abrupt opstaat, laat de buschauffeur ook de achterdeuren opengaan.

'Coby, blijf nou zitten. Loop niet weg!'

Hij weet dat het tevergeefs is. Ze kijkt hem niet meer aan,

maar verdwijnt door die geopende deuren. Heel even blijft hij zitten. De mensen die net de voordeur in zijn gekomen, staan nog met de chauffeur te praten. Net als de chauffeur nogmaals in zijn spiegel kijkt, staat Yannick met een zucht op en sprint ook de bus uit. Hij weet zeker dat Coby niet anders had verwacht.

Er is een klein restaurant in de buurt. Ze zitten tegenover elkaar met twee koppen koffie tussen hen. Coby veegt haar tranen weg. 'Soms ben ik zo woedend,' zegt ze.

'Dat weet ik.' Yannick kijkt naar buiten. Op de parkeerplaats staan precies drie auto's, één kleintje en twee die je met een gerust hart als slee zou kunnen kwalificeren.

'Ik heb het gevoel dat ik geen toekomst meer heb. Die school is niks geworden en met die baantjes schiet het ook al niet op.'

Zou die grootste slee van de eigenaar van het restaurant zijn? Yannick plaatst zijn kin in de kom van zijn handen. Dat kleintje zou dan ook van de schoonmaakster kunnen zijn.

'Het had toch allemaal anders kunnen zijn als ik gewone ouders had?'

Zou dan die andere slee van de kok zijn? En zou dat kleine autootje misschien niet van de schoonmaakster maar van die aardige serveerster zijn die hun net de koffie heeft gebracht?

'En Lia heeft altijd van die mooie praatjes. Lia gaat zo keurig naar de kerk. Nou, die God van haar heeft het met haar misschien wel goed voorgehad, maar met mij toch iets minder. Als er dan een God bestaat...'

'Hou op,' valt hij haar vermoeid in de rede. 'Ik heb er een hekel aan als je zulke dingen over Lia zegt. Zo makkelijk heeft ze het de afgelopen tijd niet gehad.'

'Maar zij heeft ouders die van haar houden...'

'Dat lost niet alle problemen op!'

'Maar ze heeft wel een schat van een man die ze niet genoeg waardeert, en een God die haar in de watten legt.'

'Hou op!'

'Waarom zou ik ophouden? Ik mag toch zeggen wat ik wil?' Uitdagend buigt ze zich voorover. 'Ik moet natuurlijk wel op m'n tellen passen, want voor je het weet, zet jij me het huis ook uit.'

Hij haalt heel diep adem. 'Hou op! Ook als je in God gelooft, ben je geen heilige. En jij hebt je eigen verantwoordelijkheden. Ik denk niet dat God meende dat jij opgescheept moest worden met zulke waardeloze ouders, maar je bent wel uit hen geboren. Dat is ongelooflijk beroerd. Je kunt nu blijven zwelgen in zelfmedelijden en vinden dat God het toch wel slecht met je voor heeft gehad, maar je maakt je eigen keuzes. Dat is jouw verantwoordelijkheid. Je kunt na een week schoonmaken het bijltje erbij neergooien en vinden dat dit werk niet bij je past, maar je kunt ook verder kijken. Er komt misschien ander werk. Als je solliciteert, zien werkgevers dat je niet bij de pakken gaat neerzitten.'

'Ik hoef niet meer bij deze baas terug te komen,' hoort hij Coby somber zeggen. 'Ik heb gezegd dat de vent die klaagde over een vies toilet, z'n eigen stront maar moet opruimen.'

'Coby...'

'Ja, meneer de zedenprediker. Dat heb ik echt gezegd en daarom hoef ik nu nooit meer terug te komen. Zeg eens eerlijk, heb jij ooit van die baantjes gehad?'

'Nee, maar het is niet eerlijk...'

'Het is ook niet eerlijk om dat van mij wel te verwachten. Maar ik zal heus wel naar iets anders zoeken, hoor. Lia zal niet al te lang meer last van me hebben.'

'Zeg dat toch niet steeds.'

'Goed, Lia zal over een poosje haar eigen badkamer weer schoon moeten houden.'

Soms mag hij haar. Soms verafschuwt hij haar. Vandaag geldt dat laatste.

'Misschien moet ik maar gewoon met hangende pootjes terug naar mijn ouders.'

'Je weet dat ik dat niet zal toelaten. We zullen wel weer een oplossing vinden. Probeer het deze week bij een ander uitzendbureau. Er is toch wel meer werk dan schoonmaakwerk?'

'Je bent en blijft een lieverd, weet je dat?' Ze buigt zich naar hem over en kust hem opgelucht op z'n neus. Hoe kan hij nu nog kwaad blijven?

'Meneer?' Gerda staat tegenover Almanzo en steekt haar hand uit.

'Almanzo,' zegt hij. 'Gewoon Almanzo, en u bent?'

'U mag Gerda zeggen.' Ze monstert de man tegenover haar en vangt de snelle achterdochtige blik op. 'Al ben ik wel een aantal jaartjes ouder dan u natuurlijk.' Ze glimlacht.

Zijn achterdocht schijnt bij die glimlach als sneeuw voor de zon te verdwijnen. 'Het spijt me dat ik u zo lang heb laten wachten,' verontschuldigt hij zich. 'U weet natuurlijk van die affaire met het schilderij. Daarna kreeg ik meer aanvragen voor bezichtiging van mijn atelier in een week dan anders in een halfjaar. De nieuwsgierigheid van heel kunstminnend Nederland leek gewekt. Daarnaast was er natuurlijk de aandacht van de pers en de restauratie van het doek. Dat laatste is wonderwel gelukt, kan ik nu gelukkig zeggen.'

'Het was toch een curieus verhaal,' merkt ze voorzichtig op.

'Treurig,' zegt hij. 'Maar het verhaal heeft zich ten goede gekeerd. Ik ben er zeker niet minder van geworden. U zult het doek straks met eigen ogen kunnen aanschouwen.'

Hij is vriendelijk en voorkomend, hij biedt haar koffie aan die wordt ingeschonken door een aantrekkelijke vrouw die hij liefdevol Regina noemt. Ze voelt zich ongemakkelijk. Af en toe probeert ze zich voor te stellen dat Coby iets met deze man heeft gehad, dat ze hier heeft gewoond. Is Coby hier gelukkig geweest en heeft deze vrouw daar een einde aan gemaakt? Ze observeert Regina, ziet hoe Almanzo haar regelmatig een liefdevolle blik toewerpt. Ondanks het feit dat zij de koffie inschenkt, lijkt ze hem de baas. Af en toe verbetert ze hem als hij iets vertelt wat in haar ogen niet klopt. Even later loopt ze met hen mee langs het werk van Almanzo dat in het atelier is uitgestald. Het zou prettiger zijn als Regina vertrok. Gerda kan haar gedachten niet bij de uitleg van Almanzo houden. Ze probeert een ingang te vinden om over Coby te beginnen, maar durft niet goed. Misschien weet deze vrouw niets van Coby af, of misschien is de herinnering aan Coby pijnlijk.

En toch moet ze. Ze kan niet met lege handen bij Albert aankomen. Ze laat zich er altijd zo op voorstaan dat ze veel meer bereikt dan hij. Soms heeft ze medelijden met hem. Zijn hele leven is alles hem bij de handen afgebroken. En dan die vreselijke ouders van hem. Nooit kan hij iets goeddoen. Altijd doet die zuster van hem het beter. Agnes had direct een hekel aan haar gehad, dat voelde ze bij de kennismaking. Er was nooit verandering in gekomen. Agnes was een egoïstische vrouw die neerkeek op elk mens dat het wat minder had getroffen dan zij. Hoe Albert het ook in zijn hoofd had kunnen krijgen om Coby juist naar zijn zus toe te sturen.

'En hier draait dan alles om.'

Gerda is weer terug bij de les. Ze hoort de trots in zijn stem, de nauwverholen opwinding alsof dit doek ook voor hem weer een verrassing is.

Regina kijkt haar aan vanaf dat reusachtige doek. Hij heeft haar heel goed weergegeven, de volle lippen, haar wat hautaine en toch ook sensuele blik. Gerda huivert. 'Het is prachtig,' zegt ze zachtjes. Voor Regina lijkt die opmerking genoeg om Almanzo en haar alleen te laten. Gerda blijft staan en zoekt naar woorden. 'Ik zie in dit schilderij de liefde die je voor deze vrouw voelt,' zegt ze zacht. Heel even aarzelt ze, maar vervolgt dan: 'Is de vrouw die dit doek vernielde misschien jaloers geweest?'

Hij draait zich abrupt om, knijpt zijn ogen tot spleetjes. 'Hoe weet je dat het om een vrouw gaat?'

'Was het Coby?'

Er valt een stilte.

Gerda's blik blijft zich aan het schilderij haken, aan de ronde vormen van Regina, aan de glanzende sjaal. Ze stelt zich voor dat Coby hiernaar heeft gekeken.

'In welke relatie sta je tot Coby?' hoort ze Almanzo dan zeggen.

'Ik ben haar moeder.'

'Die moeder die haar in de steek heeft gelaten?'

'Daar had ik m'n redenen voor!' Ze reageert fel. 'Een moeder laat haar dochter echt niet zomaar bij haar vader achter. Die kant van het verhaal heeft Coby natuurlijk nooit gehoord. Is ze ooit jouw vriendin geweest?'

'Ze wilde het.' Zijn stem klinkt somber. 'Ze bleef maar aanhouden. Ze meende werkelijk dat het tussen ons iets kon worden, maar ze is veel te jong. Coby begrijpt nog niets van het leven. Ik had vaak het gevoel dat ik haar vader was.'

'En toen kwam Regina,' zegt Gerda.

'Toen kwam Regina,' beaamt hij. 'Maar Coby was toen al een poos elders. Ze vertelde later dat ze bij een oom en tante verbleef. Ze kon het er niet uithouden, werd gepest door die twee nichtjes. Haar oom en tante konden er ook wat van. Op de dag dat ze dreigden haar bij een broer van die oom te laten logeren, is ze gevlucht en hier ondergedoken. Regina woonde inmiddels hier. Ik meende dat ze het wel konden vinden samen.'

'Je hebt weinig verstand van vrouwen,' concludeert Gerda.

'Minder dan ik dacht,' geeft hij toe.

'En waarom heb je geen aangifte tegen haar gedaan?'

'Misschien heb ik haar pijn door die daad heen gevoeld,' zegt hij peinzend. 'Regina was natuurlijk witheet en we hebben hooglopende ruzie gehad, maar ik kon het niet over m'n hart verkrijgen. Ik heb trouwens ook geen idee waar ze kan zijn.'

Dat is een domper. Gerda zucht. Dit had ze zich anders voorgesteld.

'Je weet het echt niet?' dringt ze aan.

'Ik weet dat ze nogal eens aanklopte bij een jong stel. Ze had die man in de kroeg leren kennen. Zijn vrouw was er niet zo gelukkig mee, geloof ik. Toch weigerde ze Coby de toegang niet.'

'Mijn dochter is behoorlijk doortrapt. Als ze iets in haar hoofd heeft, weet ze haar zin meestal wel te krijgen.'

'Dat heb ik gemerkt.' Hij lacht nu als een boer die kiespijn heeft.

'Maar tegen sommige vrouwen kan ze toch niet op.'

'Hoe bedoelt u?'

'Staan jullie hier nu nog?' Regina staat ineens weer bij hen. Gerda ziet haar onderzoekende blik. 'Ik ben erg onder de indruk van dit schilderij,' zegt ze. Nu glijdt er een glimlach over het aantrekkelijke, wat vlezige gezicht van Regina. 'Almanzo heeft laten zien dat hij een groot talent is.' Ze strijkt hem liefkozend over zijn wang, draait zich dan weer om naar Gerda. 'Hebt u genoeg gezien? Bent u misschien in een van zijn doeken geïnteresseerd?'

'Ik denk dat ik er nog eens in alle rust over wil nadenken,' liegt Gerda.

'Ik geef u een kaartje mee. Wacht niet te lang, want heel Nederland lijkt momenteel belangstelling te hebben.'

Een paar minuten later staat Gerda weer buiten. Regina had haar niet naar buiten gedrukt, maar het had weinig gescheeld. Onvoorstelbaar, wat drukte die vrouw een stempel op Almanzo. Misschien heeft hij wel zo'n vrouw nodig. De man zelf lijkt haar niet erg doortastend. Ze past in ieder geval veel beter bij hem dan Coby.

Als ze aan haar dochter denkt, voelt ze iets van pijn. Haar dochter heeft verdriet gehad om deze man en er was niemand aan wie ze dat kon vertellen. Albert stuurde haar naar zijn zuster en Agnes had blijkbaar al snel genoeg van haar. Had ze Coby werkelijk naar haar zwager willen sturen? Naar die Bastiaan die met zijn lepe oogjes naar vrouwen gluurde alsof ze koeien waren die gekeurd moesten worden? En Albert had dat toegelaten. Albert had weer eens helemaal niets gedaan. Ze staat nog steeds voor Almanzo's huis, staart naar de kunstwerken in zijn tuin zonder ze werkelijk te zien. Hoe had Albert zijn kind in vredesnaam naar Agnes kunnen sturen? Waarom had hij haar niet gevraagd?

Nadenkend loopt ze verder, haar handen diep in de zakken van haar korte, rode zomerjas. Ze kent het antwoord al. Albert had gedacht dat Coby niet welkom zou zijn bij haar. Albert had gelijk. Haar nieuwe man, haar Richard, is een schat van een man, maar hij heeft van meet af aan gezegd dat hij niet met haar dochter opgescheept wil worden. Ze weet dat hij niet van gedachten zal veranderen. Zo is Richard niet.

15

'Kom vanavond mijn flat inwijden,' had Letty Kuipers tegen Sierd gezegd. 'Ik wil je erg graag laten zien hoe het geworden is en bovendien zit ik hier mede dankzij jou.'

'Dat lijkt me te veel eer,' sputterde hij tegen.

'Toen ik jou zag, wist ik dat het een goede flat was,' hield ze vol.

Sierd denkt aan die woorden nu hij tegenover haar zit aan de smaakvol gedekte tafel.

'Ik heb er niet veel werk van gemaakt,' had ze zich verontschuldigd.

'Het ziet er gezellig uit.' Hij moest denken aan Bodil, die hem ook af en toe had uitgenodigd nadat ze al gescheiden waren. In haar goede jaren was ook zij een vrouw die van een huis een thuis wist te maken. Later was ze daar niet meer toe in staat, hoe ze haar best ook deed. Ze dekte de tafel overdadig, maar de gerechten die ze maakte, vielen altijd anders uit dan ze wilde. In haar onmacht had ze soms de schalen tegen de muur gesmeten, al hield hij vol dat het prima te eten was.

Vanavond dringt het tot hem door hoe hij dit gemist heeft, de huiselijkheid, de eenvoudige maar heerlijke gerechten die Letty op tafel zet, hun gesprekken, die eerst wat aarzelend op gang komen, maar van lieverlee vertrouwder worden. Hij heeft de aandachtige blik gemist die op zijn gezicht is gericht als hij haar iets vertelt. Hij heeft de zorgeloosheid gemist, het samen lachen, de hand die af en toe speels de zijne raakt.

Aan het einde van de avond beseft hij dat hij verliefd is. Tot over zijn oren, als een kleine jongen.

De roze streepjes spreken boekdelen. Lia staart ernaar zonder de opwinding te voelen die ze de vorige keer heeft ervaren. Er is nog steeds die afschuwelijke leegte. Ze heeft het leven trachten op te pakken, is kort na de miskraam gewoon naar haar werk gegaan, maar staat aan de zijlijn. Niemand die het ziet. Iedereen meent dat ze gewoon doorgaat. Alleen zij weet dat het niet zo is.

Roze streepjes. Ze is opnieuw zwanger. Het is niet zoals de vorige keer. Nu mist ze de onbezorgdheid en bovendien is er iets tussen Yannick en haar komen te staan. 'Iemand', is in feite een betere definitie. Iemand die hen steeds weer op de mouw speldt dat ze aan het werk wil en naar elders zal vertrekken.

Er klopt niets van haar verhaal en Yannick weigert dat te geloven. Alles draait om Coby. Hij wilde zelfs wachten met het vervangen van de auto tot zij niet meer bij hen woonde. Dat er bij de keuring voor bijna duizend euro aan reparatiekosten werd gevonden, deed daar niets aan af. Volgens Yannick konden ze dan ook weer een jaar vooruit, en na dat jaar had hij zelf een baan.

Misschien had ze toch achter die kunstenaar aan moeten gaan en gewoon een afspraak moeten maken. Normaal gesproken had ze dat gedaan, maar er is niets meer normaal. Ze mist de energie, heeft die nodig om zich staande te houden in het dagelijkse leven. Nu heeft ze Yannick nodig, maar hij is onbereikbaar. Op de verjaardag van zijn moeder had hij bloemen naar haar graf gebracht. Haar had hij niets verteld. Ze hoorde het van Coby die zich zogenaamd versprak. Er was geen sprake van een verspreking. Lia had de triomf in Coby's houding ontdekt. 'Sorry, ik had geen idee dat Yannick je niets had verteld.'

Hij had zich niet eens verontschuldigd. Hoeveel kan ze nog verdragen? Ze leven in één huis en tegelijkertijd in verschillende werelden. Nogmaals kijkt ze naar die roze streepjes. Die weten haar dit keer geen blijdschap te bezorgen. En dat zullen ze bij Yannick ook niet doen. Voorlopig hoort hij niets van haar zwangerschap.

'Wat ga je doen als die dochter van je ooit op de stoep staat?' Richard kijkt Gerda verbolgen aan. 'Je kunt de laatste weken aan niets anders meer denken, je praat haast nergens anders over, maar je kent mijn idee over jouw dochter. Ik heb geen zin om me verantwoordelijk te voelen voor het kind van een ander.'

'Coby is een jonge vrouw,' verweert Gerda zich zwakjes.

'Maar ze is momenteel wel erg aanwezig en nu is ze nog niet eens lichamelijk hier.' Met duim en wijsvinger duwt hij zijn bril hoger op zijn neusbrug, een gebaar dat hij altijd maakt als hij zich opwindt. 'Ik vertel het je nog maar eens, want ik heb het idee dat je nu toch denkt dat ze hier kan wonen als je haar vindt. Mijn ideeën zijn nog niet veranderd. Ik hou van jou, maar ik heb niets met jouw dochter.'

'Coby is een deel van me,' is het enige dat ze weet te zeggen.

'Ik heb je al die tijd liefgehad zonder dat deel. Bovendien ben ik niet erg onder de indruk van dat argument. Ik heb je namelijk jarenlang niet kunnen betrappen op moederliefde.'

Zijn opmerking raakt haar hard. Ze kijkt naar zijn donkere ogen, naar het grijs dat zich steeds meer meester maakt van zijn zwarte haar, naar de manier waarop hij nogmaals zijn bril omhoogdrukt. Ze houdt van deze man, van het leven dat hij haar biedt, van zijn duidelijkheid. Hij heeft er nooit omheen gedraaid. Ze heeft altijd geweten waar ze aan toe was en ze had er vrede mee.

'Je weet natuurlijk niet hoe ik dat in mijn hart altijd gevoeld heb,' probeert ze nog.

Het ontlokt hem een schampere lach. 'Ach, schoonheid van me, ik weet wel dat je heel erg geniet van het leven dat je leidt. Geen gezeur meer met je ex en zijn meelijwekkende bloemenzaakje in een boerendorp.'

'Hij is toch de vader van mijn kind.'

'Je bent de laatste tijd te vaak bij hem geweest, dat is het. Heeft hij je medelijden op weten te wekken? Vond je het fijn om samen naar jullie dochtertje te zoeken? Laat me toch niet lachen, Gerda. Jullie hebben alleen maar aan jezelf gedacht, al die jaren. Arme Albert had alleen maar oog voor z'n bloemen en jij hield je alleen maar bezig met de vraag hoe je uit dat gat kon ontsnappen.'

Ze opent haar mond om hem tegen te spreken, maar hij legt haar met een handgebaar het zwijgen op. 'Jullie hielden geen moment rekening met jullie dochter. Wat de reden is van jullie plotselinge omslag op dat gebied, kan ik niet zeggen. Wat ik wel weet, wil ik je nog eens met nadruk onder je aandacht brengen: jouw dochter krijgt in mijn huis geen onderdak, onder geen voorwaarde.'

Het feit dat hij spreekt over 'mijn huis' raakt haar diep, maar ook die andere woorden over Coby, want ze weet dat hij gelijk heeft. Het kostte haar opvallend weinig moeite om voor zichzelf te kiezen. Elke verantwoordelijkheid voor wat er fout ging, had ze bij Albert neergelegd, maar zij was degene die haar verantwoordelijkheid had ontlopen. Misschien kwam het daardoor dat het zo goed voelde om samen met Albert te trachten de verblijfplaats van Coby te achterhalen. Alsof ze op die manier nog iets goed kon maken. Daarbij bleef ze Albert de zwartepiet toespelen. Ze kijkt naar Richard, een mooie man in een duur maatpak. Hij trommelt met zijn vingers op de rugleuning van de stoel en kijkt haar indringend aan. Wat verwacht hij nu van haar? Dat ze een keuze maakt? Misschien moet ze dan nu eindelijk eens laten zien dat ze wel degelijk een goede moeder is. Alleen: ze zal Richard ermee kwijtraken, dit huis, dit leven.

'Ik begrijp het,' zegt ze zacht. 'Waarschijnlijk ben ik gewoon niet voor het moederschap in de wieg gelegd. Laat me Albert helpen om naar Coby te zoeken. Ik wil graag contact met mijn dochter, maar ik beloof je dat ik geen enkele poging zal doen om haar hier in huis op te nemen. Albert heeft haar net zo goed veronachtzaamd. Hij heeft zichzelf ook genoeg te verwijten, laat hij dan nu ook maar voor haar huisvesting opdraven.'

De smalle glimlach rond Richards mond ontgaat haar. Hij heeft haar zo goed leren kennen. Geen moment heeft hij aan haar besluit getwijfeld. Gerda kan niet terug naar een leven zonder luxe. Ze kan niet om zichzelf heen.

'Mijn man was een geweldige man,' zegt Letty op de dag na hun etentje. Ze heeft Sierd gevraagd of hij zin had om een wandeling door het park te maken. 'In september krijgt de natuur altijd iets mysterieus,' zei ze. 'De kleuren worden donkerder, de schaduwen langer, alles begint in het teken van de komende winter te staan. Zelfs de geur is anders.'

'Ik hou niet van de winter,' zei hij daarop.

'Ik wel, ik kan me echt verheugen op lange winteravonden.'

Ze is veel jonger dan hij, maar bovenal veel enthousiaster. Hij kijkt naar haar, terwijl ze naast hem op het pad door het park loopt.

'Frederik was zo intelligent en zo fijngevoelig.'

Haar ogen glanzen als ze hem aankijkt. Hij wendt zijn blik af. 'Op de dag dat Lennard geboren werd, was hij zo ontroerd, zo gelukkig. Hij zat er later een beetje mee dat hij een oude vader was. Frederik was al achtenvijftig jaar toen Lennard werd geboren. Hij berekende dat hij al dik in de zeventig zou zijn als Lennard een puber was.' Ze glimlacht. 'Dat heeft hij niet eens meegemaakt.'

'Frederik was een stuk ouder dan jij,' waagt Sierd het op te merken.

'Achtentwintig jaar om precies te zijn.' Ze steekt haar handen in de zakken van haar korte beige zomerjas. 'Leeftijd doet er niet toe, zielsverwantschap wel.' Haar gezicht staat ernstig. 'We hoorden zo verschrikkelijk bij elkaar, Frederik en ik. Ik heb altijd gedacht dat hij wel tachtig zou worden, maar op een dag kreeg ik een telefoontje van de universiteit waar hij werkzaam was. Hij zei dat hij zich niet lekker voelde, wilde even zitten en ineens was hij er niet meer. Ze hebben hem geprobeerd te reanimeren, maar het mocht niet meer baten. Vierenzestig is hij geworden.'

'Dat moet vreselijk zijn geweest.'

'Ja, dat was vreselijk.' Ze passeren een bankje waarop een ouder echtpaar stilletjes voor zich uit zit te kijken, hun handen in elkaar verstrengeld. Ze beantwoorden de groet van

Sierd. Letty lijkt hen niet op te merken, gevangen in haar herinneringen. Sierds ogen zoeken en vinden de grote beuk die vlak bij de dierenweide staat. Hij staat er even later samen met Letty onder, leunend tegen het hek van de bijna verlaten wei. Op het dak van de stal geeft de pauw weer luidkeels van zijn aanwezigheid blijk.

'Toch is jouw verhaal misschien vreselijker,' hoort hij Letty dan zeggen. 'Ik kan terugkijken op zoveel moois, liefs en heerlijks. Wat jij me over jouw vrouw hebt verteld, heeft me erg beziggehouden. Het moet afschuwelijk voor je zijn geweest.'

'Voor haar ook,' merkt hij zacht op. 'Ze had het anders willen doen.'

'Je hebt veel van haar gehouden,' constateert ze. Hij klemt zijn handen vast rond het hek. Boven hen fluistert de wind door de bladeren van de beuk. De pauw schreeuwt alsof zijn leven ervan afhangt. Hij zoekt naar woorden, voelt dan ineens haar hand op de zijne. 'Je hoeft niets te zeggen.'

Hij zou haar heel veel willen zeggen. Hij zou haar willen vertellen hoe heerlijk hij het vindt om hier samen met haar te staan, vlak bij die oude beuk die hij vanaf zijn balkon kan zien staan. Hij zou haar willen vertellen dat hij heeft gemeend dat er nooit meer ruimte zou zijn voor liefde, maar dat hij nu beter weet. Hij zou haar willen vasthouden en haar laten weten hoe mooi hij haar vindt, maar haar hand ligt nog steeds op de zijne. Hij blijft zwijgen.

De pauw schreeuwt ook niet meer.

Vanuit het huis van de buren klinkt muziek. Yannick hoort het eentonige gedreun van de bassen door de muren. Naast hem klinkt de rustige ademhaling van Lia. Het ergert hem dat ze slaapt terwijl hij met open ogen in het donker ligt te staren. Anders is zij het meestal die last heeft van de muzikale voorkeur van de buurman, die de volumeknop van zijn fraaie apparatuur graag hoog draait zodat ze elke avond kunnen meegenieten. Hij draait zich om. Vanavond hadden ze weer ruzie om niets gehad. Bij de geringste aanleiding slaat tegenwoordig de vlam in de pan.

De bassen blijven doordenderen. Liggen zij overdreven vroeg in bed? De buren gaan altijd laat en de buurman beweert steevast dat hij rekening met het volume houdt omwille van de vroege slapers, maar misschien moet hij het er toch eens met de buurman over hebben. Hij zal toch niet de enige zijn die er last van heeft? Of komt het doordat hij vanavond wakker ligt? Hij zucht.

'Zie je dan niet hoe Coby ons gebruikt!' had Lia vanavond uitgeroepen. 'Ze houdt ons aan het lijntje. Hoe vaak heeft ze niet beloofd om zich voor een huis in te schrijven? Hoeveel baantjes heeft ze inmiddels gehad? Ze wil niet schoonmaken, ze vindt zichzelf niet geschikt voor een winkel, van de gedachte aan fabriekswerk krijgt ze nachtmerries. Denk je echt dat ze van plan is om hier te vertrekken?'

Hij weet al helemaal niet meer wat hij daartegen in moet brengen. 'Jij bent ook zo negatief,' was het enige wat hij wist te zeggen.

'Ik heb het volste recht om negatief te zijn. Je dendert over mijn gevoelens heen, je neemt me niet serieus. Die miskraam? Jij doet net alsof er niets is gebeurd!'

'Waarom haal je dat er nou ook weer bij?' Op het moment dat hij het zei, wist hij dat het verkeerd was. Hij had het niet op die manier moeten zeggen, hoe geïrriteerd hij ook was, en hoe onterecht hij het ook vond dat Lia daar weer over begon.

Lia was bleek geworden. Hij zag hoe ze haar lippen op elkaar klemde alsof ze zichzelf wilde verhinderen om nog één woord te zeggen. Hij had zich direct verontschuldigd, maar ze had hem alleen aangekeken en aangekondigd dat ze naar bed ging. Hij was beneden blijven zitten tot een uur of elf en eigenlijk had hij verwacht dat ze nog wakker zou zijn. Hoe kan iemand slapen die boos is? Hijzelf doet dan geen oog dicht. Dat gold blijkbaar niet voor Lia. Ze ligt nog steeds rustig te slapen.

Nu draait ze zich om, hij hoort het, hij voelt haar bewegingen op de matras. In de duisternis gaan zijn gedachten hem steeds meer benauwen. Hoe moet het nu verder? Wordt het echt tijd dat hij Coby duidelijk maakt dat het zo niet langer kan en dat ze naar andere woonruimte moet uitkijken? Maar waar gaat ze dan heen? Hij kan zich niet voorstellen dat er meer adressen zijn waarheen ze kan uitwijken. Zou ze dan niet weer naar haar ouders gaan en begint de ellende voor haar dan niet opnieuw? Hij kan het niet met zijn geweten verantwoorden. Hij kan het niet. Zelfs niet als Lia hem zou verlaten.

Als Lia hem zou verlaten.

Die gedachte is nooit eerder bij hem opgekomen. Hij schrikt ervan. Zou ze daar ooit over nadenken? Zou ze hem ooit voor de keuze zetten?

Hij draait zich een beetje om, werpt een blik op haar smalle rug. Die overtuigt hem ervan dat die kans niet helemaal denkbeeldig is. Hij krijgt het ineens zo benauwd dat hij niet langer in bed kan blijven liggen. Zachtjes schuift hij naar de rand, gaat zitten en trekt zijn spijkerbroek aan. Voordat hij naar beneden loopt, schiet hij zijn shirt over het hoofd, en als hij de trap af sluipt, weet hij ineens dat hij naar buiten moet. Hier in huis houdt hij het niet langer uit.

Meer dan een uur heeft hij door de duisternis gelopen, ontdekt hij als hij zachtjes het huis weer binnenkomt. Een uur waarin de eenzaamheid van het late tijdstip en de frisse wind rond zijn hoofd zijn gedachten tot rust hebben gebracht. Staande bij de koelkast drinkt hij in het donker een paar slokken melk uit een pak. Als Lia het zag zou hij opnieuw een preek krijgen, maar Lia slaapt.

Hij veegt zijn mond af en zet het pak terug in de koelkast.

'Lekker gewandeld?'

Zijn hart slaat over als hij ineens Coby's stem achter zich hoort. 'Ben je gek geworden?' schiet hij verontwaardigd uit.

'Sorry, ik wilde je niet laten schrikken. Ik kon vanavond niet slapen en hoorde je naar beneden en later naar buiten gaan. Heel even heb ik er nog over gedacht om je voorbeeld te volgen, maar ik vermoedde dat je graag even alleen wilde zijn.'

'Dus jij kon ook al niet slapen?' Zijn hart is weer een beetje tot rust gekomen.

Coby haalt haar schouders op. 'Ik ben eraan gewend.'

Hij is moe, hij zou niet op haar opmerking in moeten gaan, maar hij kan het niet laten. 'Slaap je zo slecht?'

'Nachtgedachten,' hoort hij haar zeggen. 'Het is net alsof gedachten in de nacht nog zwaarder wegen dan overdag. Als je in het donker ligt te staren, lijkt het of herinneringen je willen verstikken. Zo voel ik dat in ieder geval.'

'Wil je iets drinken?' Hij zou haar dat niet moeten aanbieden. Hij zou nu gewoon naar bed moeten gaan, maar haar smalle gezicht in het bleke maanlicht bezorgt hem een vaag schuldgevoel. Ze lijkt jong en bang en kwetsbaar.

'Wil je niet naar bed?'

'Ik kan straks ook naar bed. Zullen we één glaasje wijn drinken? Ik zal een lampje aandoen. Het is toch ook een beetje raar om met z'n tweeën in het donker te zitten.'

Hij knipt het lichtje van de afzuigkap aan en pakt twee glazen uit een kastje. Op het aanrecht staat een aangebroken fles Rioja. Hij schenkt de glazen veel te vol, schuift aan bij de kleine keukentafel. Coby volgt zijn voorbeeld.

'Wil je erover praten?' begint hij als ze zwijgend hun eerste slok hebben genomen. 'Over die nachtgedachten, bedoel ik. Wat een mooi woord heb je daarvoor uitgevonden. Je hebt wel gelijk. 's Nachts is het net alsof je gedachten benauwender worden.'

'Het heeft zo weinig zin om er steeds weer over te beginnen.' Ze neemt nog een slok. 'Soms val ik bijna in slaap,' zegt ze dan toch. 'En dan ineens hoor ik zijn voetstappen.' Even is het heel stil. Hij hoort zijn eigen ademhaling, ziet hoe ze nerveus twee slokken achter elkaar neemt. 'Die voetstappen...' Haar borst gaat gejaagd op en neer. 'Je kunt je niet voorstellen hoe dat voelt. Die voetstappen komen naar me toe. Ik wil het niet, maar ik kan niet vluchten. Ik probeer me heel klein te maken. Het helpt niet. Het helpt ook niet als ik in een hoekje ga zitten.' Haar stem is schor, haar glas ineens leeg. Zwijgend staat hij op om nog eens in te schenken. 'Die angst...' Ze drinkt opnieuw met grote slokken. Hij krijgt de neiging om het haar te beletten, maar geeft er niet aan toe.

'De angst die dat oplevert is niet te filmen. Ik wilde schreeuwen, maar het gekke is dat ik dat nooit heb gedaan. Voor mijn moeder. Omdat ik het voor haar niet nog erger wilde maken dan het al was. Ik probeerde aan andere dingen te denken, aan leuke dingen die ik had meegemaakt, zoals een vakantie aan zee met een vriendin. Ik geloof dat ik gerust kan stellen dat die vakantie de mooiste tijd van mijn leven is geweest.'

Hij staart naar haar bleke gezicht waarin haar ogen nu heel erg groot en donker lijken. 'Die eindeloze zee. Het was de Middellandse Zee. Ik wist niet eens dat die zee echt zo blauw was. Wist jij het?'

Hij knikt. Vroeger was hij er met zijn zus en ouders meer dan eens geweest.

'De zon scheen hele dagen en ik liet me drijven op dat helderblauwe water. Ik verbeeldde me dat ik daar weer was, dat ik de zon op mijn gezicht voelde, dat ik het blauw van de zee zag. Zo overleefde ik het steeds weer. Steeds weer.'

'Ik denk dat het ook alleen maar te verdragen is als je aan andere dingen denkt,' waagt hij het op te merken.

'Het is niet te verdragen,' reageert ze fel. 'Het is nooit te verdragen, maar je kunt doen alsof het niet gebeurt door ergens anders heen te gaan. Geef me nog wat te drinken, Yannick.'

Hij gehoorzaamt en schenkt de fles leeg in het glas dat ze in zijn richting omhooghoudt.

'Het gekke is dat die tactiek me tegenwoordig niet meer helpt. Als ik wakker schrik en die voetstappen hoor... Zelfs in mijn gedachten kan ik niet meer weglopen. Er is geen enkele mogelijkheid om eraan te ontkomen. Ik moet het meemaken, ik moet, ik moet...'

Hij ziet haar ontreddering, de tranen die nu over haar wangen stromen, het beven van haar handen waardoor de wijn over het glas heen dreigt te spatten. Voorzichtig ontfutselt hij haar het glas. Met betraande ogen kijkt ze hem aan. 'Er valt niet meer aan te ontkomen, Yannick. Ik ben soms zo bang dat ik terug moet naar mijn vader. Jij en Lia, jullie hebben zo vaak ruzie om mij... om mij...'

'Je hoeft niet terug,' probeert hij haar te kalmeren. Hij slaat zijn armen om haar heen, drukt haar hoofd tegen zijn borst en wiegt haar heen en weer als een klein kind. 'Je hoeft echt niet terug.'

'Maar Lia...'

'Je hoeft echt niet terug,' houdt hij haar nog eens met nadruk voor.

Hij streelt haar weerbarstige haren, drukt een kus op haar hoofd. Ineens is er een geluid dat hem waarschuwt, maar als hij opkijkt, ziet hij dat het te laat is. Lia staat met een slaperig gezicht in de deuropening en kijkt alsof ze haar ogen niet gelooft. 'Dus daarom wil je er niet over praten,' weet ze nog uit te brengen. 'Daarom ben je niet voor rede vatbaar.'

'Lia, het is niet wat je denkt...'

'Nee Lia, het is echt niet wat je denkt,' probeert Coby hem te helpen, maar er valt niets meer te helpen.

'Het is genoeg,' weet Lia nog uit te brengen, voor ze de deur met een klap dichtsmijt en de trap op rent. 'Het is genoeg!' Dat is wat Yannick alleen maar uit haar weet te krijgen, tot ze met een tas vol kleren in haar auto stapt met de mededeling dat ze voorlopig naar haar moeder gaat.

Lennard ligt allang in bed, het duister heeft het avondlicht overwoekerd. Sierd zou alleen nog een glaasje wijn bij Letty drinken. Even maar. Een uurtje, niet langer.

Het is inmiddels al even geleden dat de kleine pendule op het moderne, strak vormgegeven zwartgelakte dressoir heel bescheiden twaalf slagen aangaf. Ze hebben het niet gehoord. Hun verleden is gedeeld. Alle bagage die ze in hun leven hebben opgepikt ligt tussen hen in. Vreugde, momenten die ze met een glimlach om hun mond hebben opgediept, maar ook pijn en verdriet.

'Wil je beweren dat je jouw zoon werkelijk al die tijd niet meer hebt gezien of gesproken?' Letty kijkt Sierd nu vol ongeloof aan. Hij heeft zijn grootste pijn voor het laatst bewaard. Elke dag voelt hij het verdriet van het afgesneden zijn van het contact met zijn zoon. Hij twijfelt of hij zelf contact moet zoeken, maar heeft die overweging ook steeds weer verworpen. Yannick heeft duidelijk aangegeven dat hij zelf zal komen als hij eraan toe is. Misschien maakt hij meer kapot dan dat hij er goed aan doet.

'Sierd, ga naar hem toe,' zegt Letty nu dringend. Ze buigt zich naar hem over. Een vleugje bloemige parfum zweeft hem tegemoet. De geur van Letty.

'Wees niet bang dat hij je zal afwijzen. Ik weet zeker dat hij dat niet zal doen.'

'Je kent Yannick niet.'

'Nee, ik ken jouw zoon niet, maar ik denk dat jouw zoon zijn vader heel hard nodig heeft. Hij heeft geleden onder de situatie, hij voelde zich verward na het overlijden van zijn moeder. Nu heeft hij zijn vader nodig. Een vader die gewoon tegen hem zegt dat hij van hem houdt. Een vader die er voor hem wil zijn.'

Weer legt ze haar smalle hand op de zijne. Hij zou die hand tegen zijn lippen willen drukken. Hij zou willen uitschreeuwen wat hij voor haar voelt.

Hij doet het niet.

'Ik zal erover denken,' zegt hij alleen en dan dringt ineens de tijd tot hem door. 'Is het echt al kwart over één?'

Ze glimlacht. 'Onvoorstelbaar hè?'

'En ik moet er morgen weer op tijd uit.' Hij wrijft langs zijn ogen alsof hij nu ineens de vermoeidheid voelt.

'Het is een goed teken dat de tijd zo snel gaat,' merkt ze

op als hij gaat staan. 'We vervelen ons niet bij elkaar.'

Hij geeft haar een kus op haar wang voor hij vertrekt. Hij zou veel meer willen geven.

'Doen we dit nog eens over?' vraagt ze zachtjes.

'Graag.'

Ze lacht zachtjes. 'Sterkte morgen.'

Die lach klinkt hem als muziek in de oren. Hij durft het haar niet te vertellen.

16

Lia is echt weg. De gedachte die vanavond ineens in hem was opgekomen, is nu al waarheid. Lia is weg en hij kan haar alleen maar gelijk geven. Met alle achterdocht die ze de afgelopen maanden al heeft opgebouwd, is het wel duidelijk hoe die onschuldige omhelzing op haar is overgekomen.

Hij kan nu wel volhouden dat het allemaal niets voorstelt, maar haar ogen bedrogen haar niet.

'Het is mijn schuld,' zegt Coby. 'Ik had echt beter weg kunnen gaan.'

Voor het eerst irriteert die opmerking hem. 'Hou toch eens op met je gezeur,' valt hij uit. 'Je denkt alleen maar aan jezelf.'

Voor Coby is dat het teken om verongelijkt de trap op te stormen, zijn woorden 'Iedereen slaapt, doe een beetje rustig!' negerend.

Het wordt stil in huis. De klok in de kamer geeft aan dat het inmiddels twee uur is. Hij zou naar bed kunnen gaan.

In plaats daarvan staat hij op en zet koffie voor zichzelf. Hij gaat een poosje voor het raam staan, maar behalve een kat die de straat oversteekt, is daar niets te zien. Zou Lia nu in bed liggen? Hoe zullen zijn schoonouders hebben gereageerd toen ze een eind na middernacht aan de deur stond? Waarschijnlijk zijn ze behoorlijk geschrokken. Die schrik zal al snel woede zijn geworden. Hij krijgt natuurlijk direct de schuld. Iedereen zal Lia gelijk geven.

Hij schenkt zichzelf nog een kop koffie in. Tergend traag gaan de wijzers van de klok vooruit. In de stilte hoort hij ze tikken.

Steeds nieuwe gedachten plagen hem. Zou het ooit weer goed komen tussen Lia en hem? Ze komt zeker niet terug zolang Coby hier is, maar moet hij Coby dan nu wel op straat zetten? Is dat niet vreselijk egoïstisch? Is hij dan niet net zoals de rest? Hij moet een oplossing voor haar vinden. Als hij haar nu een termijn stelt? Binnen een maand moet ze werk van haar toekomst hebben gemaakt?

Zijn maag speelt op, hij drinkt toch zijn kop koffie leeg en schenkt zichzelf daarna een glas water in. Hij gaat aan de tafel zitten, legt zijn hoofd op zijn armen en sluit zijn ogen. Lia zal het niet serieus nemen. Coby heeft zo vaak beloofd dat ze werk van haar toekomst zal maken.

Is het naïef dat hij dat steeds zo graag wilde geloven? Het leek zo vanzelfsprekend dat hij haar op weg wilde helpen. Hoe komt het dat hij op dit moment het gevoel heeft dat het helemaal niet zo vanzelfsprekend was? Is het de nacht die zijn gedachten weer donkerder maakt? 'Nachtgedachten' had Coby ze treffend genoemd. Die van haar waren bepaald angstaanjagend.

Misschien moet hij toch maar naar bed gaan en wat proberen te slapen. Op dit moment kan hij niets doen. Morgen gaat hij Lia opzoeken. Ze moeten gewoon samen praten. Na al die jaren kan het tussen hen toch niet voorbij zijn?

Het is gek om weer in het bed te liggen dat tot een halfjaar geleden haar eigen bed was. Haar jongere zus Jenine had haar slaapkamer overgenomen, het bed was verhuisd naar de kleinste kamer in huis met de grootse naam logeerkamer. Toen ze vannacht voor de deur van haar ouderlijke woning stond, had ze ineens getwijfeld of ze wel moest aanbellen. Tot nu toe had ze het grootste deel van haar vuile was binnenshuis weten te houden, als ze aanbelde zou ze dat niet kunnen volhouden. De gedachte aan thuis, aan Yannick die Coby innig stond te knuffelen, gaf haar weer de zekerheid dat er geen andere keus was. Als de situatie niet zo treurig was, had ze nog kunnen lachen om de manier waarop haar vader slaapdronken uit het raam van zijn slaapkamer hing. Zijn anders keurige haar stond recht op zijn hoofd. Nadat hij haar beneden ontdekte, deed hij binnen een paar seconden de deur open, met haar zeer verontruste moeder in zijn kielzog. Die ongerustheid was al heel snel omgeslagen in verontwaardiging. Zo kwaad had ze haar moeder nog nooit gezien.

Het was goed dat Yannick niet bij haar was.

In ieder geval was het logeerbed snel opgemaakt. Haar moeder raasde nog, haar vader deed zijn uiterste best om haar te kalmeren. Zelfs haar zussen stonden op een gegeven moment in de kamer. Lia had zich bepaald schuldig gevoeld.

Na een uur was de rust teruggekeerd, maar ondanks haar vermoeidheid kan Lia de slaap niet vatten. Langzaam ebt haar verontwaardiging weg. Er ontstaat ruimte voor vragen. Ze is wel halsoverkop uit huis vertrokken, maar hoe gaat het nu verder? Wil ze scheiden?

Ze draait zich om. Die gedachte lijkt onvoorstelbaar. Yannick en zij horen al jaren bij elkaar. Ze is weer zwanger, en zeker niet minder belangrijk: ze houdt van hem. Ze houdt van hem met al zijn onhandigheid en koppigheid.

Maar Coby dan?

Het is ondenkbaar dat ze terugkomt zolang Coby er nog is. Yannick zal een keuze moeten maken: Coby of zij.

Met een ruk gaat ze rechtop zitten. De kleine kamer benauwt haar ondanks het geopende raam. Ineens lijkt het haar helemaal niet vanzelfsprekend dat Yannick voor haar zal kiezen. Misschien dat hij er nog anders over gaat denken als hij van haar zwangerschap hoort, maar wil zij nog als het hem alleen daarom zou gaan?

Ze haalt diep adem en tracht haar gedachten te ordenen. Eerst moet er duidelijkheid komen. Overmorgen gaat Yannick weer naar Groningen, dat weet ze. Als zij dan eens naar huis gaat om nog wat spullen te pakken? Misschien kan zij eens rustig met Coby praten. Ze hoeft nu geen blad meer voor de mond te nemen. De zaak is toch al geëscaleerd. Als Coby geen steun aan Yannick heeft, is het goed mogelijk dat ze de waarheid uit haar kan peuteren. Misschien kan ze dan eens naar hun spaarrekening kijken. Yannick heeft haar vragen daarover steeds mooi weten te omzeilen. Al een aantal keren heeft hij haar beloofd om haar te vertellen hoeveel er precies op staat. Speciaal voor haar bewaart hij de inlogcode, maar ze maakte er nooit gebruik van. Er was nooit reden geweest om hem te controleren.

Ze kruipt weer onder haar dekbed. Het heeft geen zin om te blijven piekeren. Op dit moment kan ze er niets aan veranderen. Yannick zal ook wel in bed liggen. Zou hij wel kunnen slapen? Of zou hij ook in het donker liggen staren?

Coby zal toch niet bij hem in bed liggen? Aan haar kant?

Het lijkt al helemaal geen handige zet meer om naar haar ouders te verkassen. Als Yannick en Coby werkelijk...

Ze draait zich om, probeert zich te ontspannen. Voor haar ligt nog een eindeloze nacht.

Coby zit ook rechtop in bed. Vanuit de kamer klinken vage geluiden. Yannick hoest een keer, ze hoort hem naar de keuken lopen.

Waarom gaat die man niet gewoon naar bed?

Sneue kneus die hij is. De laatste tijd komt die term steeds in haar op als ze hem ziet. Hij mag dan bijna een universitaire opleiding hebben afgerond, hij is zo onnozel als wat. Wie laat zich nu zo bedotten door iemand die hij na al die maanden nog zo slecht kent?

In eerste instantie vond ze Yannick vooral lief en aardig. Ze voelde zich schuldig toen ze gebruik van hem begon te maken. In de loop van de tijd is ze hem steeds waardelozer gaan vinden. Hij heeft het aan zichzelf te wijten dat ze zo ver is gegaan. Een normale man laat het toch niet zover komen?

Beneden hoort ze hem weer lopen. Daarna is er stilte. Ze stelt zich voor hoe hij terneergeslagen op de bank zal zitten. Als Lia verstandig is, komt ze niet meer terug.

Zijzelf heeft haar langste tijd hier nu echt gehad. De envelop in het zijvakje van haar schooltas is mooi gevuld met zogenaamd schoolgeld, met een groot deel kledinggeld en met al die grotere en kleinere bedragen die Yannick haar de afgelopen tijd heeft toegestopt.

Het is jammer dat de ontwikkelingen zo snel gaan. Nu zal ze zich genoodzaakt zien om de komende dagen zelf nog wat geld van die rekening te halen. Ze moet het slim spelen, niet een groter, opvallend bedrag. Yannick zal er vast niet op letten. Die heeft wel andere dingen aan zijn hoofd.

Of zal ze morgen vertrekken en dan de rest van het geld laten zitten? Ze kan zich nu toch ook wel even redden? Ze is geen dief als ze niets van die rekening haalt. Yannick heeft haar het geld gegeven of naar haar overgemaakt. Dat is toch geen stelen? Dat is gebruikmaken van zijn onnozelheid en dat is vast niet strafbaar.

Eindelijk... ze hoort zijn voetstappen naar boven komen. Wat zal hij een medelijden met zichzelf hebben. Alleen in dat koude bed zonder Lia.

Eigen schuld, dikke bult.

Het is al laat in de morgen als Yannick wakker wordt, en hij voelt zich alsof hij een zware griep heeft gehad. Zijn slapen bonzen, zijn lippen zijn droog. Langzaam maar zeker komen de gebeurtenissen van de afgelopen nacht weer bij hem binnen.

Van beneden klinken geluiden. Coby zingt hard met de radio mee.

Hij moet vandaag met Lia praten. Het moet toch mogelijk zijn om haar duidelijk te maken dat ze het verkeerd heeft gezien? Hij moet haar kunnen overtuigen dat er iets in huis zal veranderen. Hij moet Coby zeggen dat het nu echt voorbij is, dat het hem te ver gaat om zijn huwelijk op het spel te zetten.

Eerst wil hij naar Lia.

Lia, die bij haar ouders zit.

Zijn schoonvader is een aimabele man met wie hij goed overweg kan, maar zijn schoonmoeder kan behoorlijk tekeergaan. Haar kennende zal ze ook vinden dat ze alle reden heeft om straks tegen hem tekeer te gaan. Hij kan Lia beter eerst op haar mobiel bellen en voorstellen om samen ergens een hapje te eten. Dat zal hij doen.

Beneden lijkt Coby de volumeknop van de radio nog iets harder te hebben gezet. De bassen dreunen door zijn hoofd.

Hij schreeuwt haar naam boven aan de trap, maar zonder resultaat. Even overweegt hij om haar beneden tot de orde te roepen, dan bedenkt hij zich. Hij gaat eerst onder de douche.

'Zo slaapkop, ben je eindelijk wakker?' Coby staat bij het fornuis in de keuken. Ze draagt een te groot schort dat hij een keer voor zijn verjaardag kreeg. 'King of the Kitchen' is er in grote letters op gedrukt. 'Je vindt het toch niet erg?' verontschuldigt ze zich als ze zijn blik onderschept.

Hij drukt de radio uit. 'Is er nog gebeld, heeft Lia nog iets van zich laten horen?'

Coby schudt haar hoofd. Ze slaat een ei kapot tegen de rand van de koekenpan en laat het ei dan in het hete vet glijden.

'Ik denk dat ze wil scheiden,' zegt hij.

'Ik ben een uitsmijter aan het maken.' Ze besmeert boterhammen met margarine. 'Ik neem aan dat jij ook wel trek hebt?'

'Ik heb nagedacht,' zegt hij zonder haar vraag te beantwoorden.

'Laten we het daar na het eten maar over hebben.' Zorgvuldig verdeelt ze een grote plak ham over twee boterhammen.

'Je moet toch maar aangifte doen.' Het is alsof hij haar niet hoort. 'Tegen je vader, bedoel ik.'

'Je weet hoe ik daarover denk.' Ze kijkt hem niet aan.

'Soms kunnen de dingen niet gaan zoals je het wilt. Ik weet dat het heel moeilijk voor je zal zijn, maar als je aangifte doet kun je hulp krijgen. Ik kan je die hulp niet langer bieden.'

'Wil je nou wel of geen uitsmijter?'

Zwijgend verlaat hij de keuken.

De stilte is ook tijdens het eten gebleven. Pas daarna, als Coby koffie heeft gezet, doet ze haar mond open. 'Ik ga over een paar dagen weg.'

'Welnee.'

'Jij weet net zo goed als ik dat ik hier niet kan blijven.'

'Doe aangifte,' herhaalt hij.

'Nee. Ik wil op geen enkele wijze meer aan mijn vader worden herinnerd. Ik wil hem nooit meer zien, nooit meer over hem praten. Het is voorbij en ik wil opnieuw beginnen.'

'Hoe denk je dat dan te doen?'

'Daar hoef jij je geen zorgen over te maken. Ik heb me altijd alleen weten te redden, dat gaat me nu ook wel lukken.'

'Ik wil dat je blijft!' Zijn stem klinkt schril. Hij schrikt er zelf van. 'Ik wil niet dat je gaat.'

De stilte is er weer. Zijn woorden galmen nog na. Ze lijkt ze te overwegen, te herkauwen. 'Ik ga over een paar dagen weg,' zegt ze dan nog eens. 'Niemand zal daar iets aan kunnen veranderen. Jij bent gewoon bang om hier alleen te blijven. Je bent bang dat je straks niemand meer hebt. Lia niet en mij niet. Dan sta je hier met al je goede bedoelingen met lege handen.'

'Zie jij dat zo?' Hij boent langs z'n ogen.

'Het is niet anders. Voor alle partijen is het beter dat ik ga. Jij en Lia moeten weer een gezinnetje gaan vormen. Ze is weer zwanger en nu moet...'

'Wát zeg je?'

'Je wilt me toch niet vertellen dat je dat niet weet?' De spot druipt van haar woorden af. 'Heeft ze het je echt niet verteld of heb je gewoon niet geluisterd?'

'Heeft ze het jou dan wel verteld?' informeert hij ongelovig.

'Nee, ik luister tussen haar woorden door. Ik kijk en zie. Lia drinkt tegenwoordig geen koffie. Is het je echt niet opgevallen dat ze alleen maar thee wil? Dat deed ze de vorige keer ook. Ze liet zich laatst ontvallen dat ze mijn kamertje toch snel wilde schilderen. Misschien moet je eens echt naar je vrouw kijken en luisteren. Zo lang zijn jullie nog niet getrouwd.'

'Ik ben zo stom geweest,' steunt hij.

'Nou, ik ken er ergere woorden voor.' Opnieuw is er dat spottende lachje. 'Maar ik zal ze je besparen. In ieder geval is het voor alle partijen beter dat ik ga.'

Nu spreekt hij haar niet langer tegen.

Langzaam draait Lia haar auto de zo vertrouwde straat in. Vandaag voelt het anders, minder als thuiskomen. Het huis in de Beethovenstraat, waar ze zich met Yannick samen zo vertrouwd voelde, lijkt een vreemde. Zo vreemd had hijzelf gistermiddag voor haar ook geklonken. Het had haar verbaasd dat ze hem echt niet wilde ontmoeten.

'Geef me een week de tijd,' had ze hem voorgehouden, nadat hij maar bleef soebatten. 'Yannick, deze periode met Coby duurt al veel meer dan een week. Ik denk dat je nu rekening moet houden met mijn gevoelens. Ik heb zeker een week nodig om de zaken op een rijtje te krijgen.'

Met tegenzin had hij toegegeven. Nu hoopt ze dat hij vanmorgen wel naar de universiteit is gegaan.

Ze zet de auto stil en kijkt naar het huis. Vanaf haar zitplaats is in ieder geval geen teken van leven waar te nemen. Het is natuurlijk best mogelijk dat Coby ook niet aanwezig is. Dan valt er niets te praten, maar kan ze wel even rustig achter de computer gaan zitten en nog wat spullen ophalen. Zal ze aanbellen? Die gedachte lijkt haar belachelijk. Het is nog steeds het huis waarin ze officieel met Yannick woont. Ze gaat via de achteringang. De deur is op slot, wat haar bevestigt in haar vermoeden dat er niemand is. Als ze even later door de gang loopt, betrapt ze zichzelf erop dat ze zich vrijwel geruisloos voortbeweegt. Het voelt haast alsof ze hier een insluiper is. In de woonkamer heerst orde. Er liggen nog een paar boeken van Yannick, maar de ontbijtboel is opgeruimd. Lijkt het zo, of hoort ze boven nu toch iets?

Kraakt de bureaustoel waar Yannick altijd op zit?

Wat vreemd dat haar dat nu zo nerveus maakt. Ze loopt naar de trap, luistert nog eens heel intens, hoort alleen de stilte.

En toch loopt ze zachtjes de trap op, later kan ze zelf niet navertellen wat haar bezielde. Als ze voor de deur van de studeerkamer staat, klopt ze om direct daarna de deur te openen.

Ze kijkt recht in het verschrikte gezicht van Coby.

Tien minuten later is het Lia duidelijk waarom Yannick zo tegen was op een nieuwe auto. Van het bedrag dat op de rekening staat, kunnen ze nog net een tweedehandse kopen en dan moet het er wel één op jaren zijn.

'Hoe heb je al dat geld ervan af kunnen halen zonder dat Yannick het in de gaten had?' had ze Coby ongelovig gevraagd.

'Ik heb het er niet zelf afgehaald. Hij heeft het me gegeven. Vraag het hem maar.'

'En waarom was je er dan nu wel zelf mee bezig?'

'Ik ga weg. Ik wilde morgen vertrekken, maar ik denk dat ik meteen maar ga. Yannick zou het me nu niet meer willen geven. Ik denk dat hij eindelijk achterdochtig werd.'

'Je hebt zijn vertrouwen misbruikt.'

'Dat is bij Yannick ook niet zo moeilijk. Hij is zo dom, zo goedgelovig.' Er was niets meer over van dat meisje dat zich zo aardig en behulpzaam kon voordoen. Voordat Lia nog iets had kunnen zeggen, was ze verdergegaan: 'En jij net zo goed. Het is toch niet normaal dat je die man met de financiën opscheept en dat je er zelf geen kijk op hebt? Ik dacht dat je wel achterdochtig zou worden toen hij niets wilde weten van een nieuwe auto. Hij wilde beslist niet dat jij ging kijken wat er op die rekening stond. Hij beloofde dat hij het voor je zou nakijken. Dan moeten toch alle alarmbellen gaan rinkelen?'

'Wil je nou zeggen dat ik het aan mezelf te wijten heb?'

De brutaliteit van dat kind...

Coby haalde haar schouders op, keek haar aan en zei doodgemoedereerd: 'Ja, dat wilde ik zeggen.'

Lia heeft er geen woorden voor. Nu ook nog niet. Coby pakt haar tas in. Lia boekt het bedrag terug dat Coby wilde overmaken naar haar eigen rekening. 'Ik zou de inlogcodes maar veranderen,' had ze nog brutaal gezegd, alsof ze daar zelf niet aan zou denken.

Nu hoort ze Coby in het portaaltje stommelen. Met een paar stappen is zij er ook, net op tijd om haar met een volgepakte tas de trap af te zien sjouwen. 'Waar ben je van plan naartoe te gaan?'

'Dat interesseert je niet werkelijk,' zegt Coby. Ze zet de tas onder de kapstok en trekt haar jas aan. 'Je bent allang blij dat je me kwijt bent.'

'Coby...'

'Nee, je hoeft je niet te verontschuldigen. Je hebt groot gelijk.'

'Wat heb je met dat geld gedaan?'

'Dat is voor jou een vraag en voor mij een weet.' Ze ritst haar jack dicht. 'Wil je nog aangifte van oplichting doen?' Weer krijgt Lia niet de kans om te reageren. 'Ik zou het niet doen. Jullie zouden niet bijster intelligent overkomen.' Ze glimlacht. 'Allebei niet,' zegt ze nog eens nadrukkelijk.

'Wat moet ik tegen Yannick zeggen?' Lia daalt de trap af. Heel even valt Coby uit haar rol. Ze wordt rood, ze pakt haar tas op en zet die weer neer. 'Bedank hem maar,' zegt ze dan zacht. 'Hij heeft het altijd voor me opgenomen. Ik hoop dat jullie samen een gezond en mooi kind zullen krijgen, en dat hij eindelijk zal leren dat er meer is dan een verleden met een alcoholiste als moeder.'

Ze opent zelf de deur, pakt haar tas en loopt naar buiten. Als Lia de deur achter haar wil sluiten, draait ze zich om. 'En hij is nooit verliefd op me geweest. Er bestaat maar één vrouw voor Yannick, dat ben jij.'

Coby steekt haar hand op, alsof ze even op bezoek is geweest, alsof ze een voorbijganger is, alsof ze Lia's hele leven niet op z'n kop heeft gezet.

17

Gerda houdt ervan door Amsterdam te lopen. Soms met een vastomlijnd doel, vaak ook zomaar. Zoals sommige mensen hun heil in de natuur zoeken, zo zoekt zij dat in de mensenmassa. Zwervend door Amsterdam kan ze haar benauwende gedachten ordenen en krijgt ze langzaam lucht.

Af en toe loopt ze een winkel in, een van de grote warenhuizen waar haar anonimiteit gewaarborgd blijft. Ze slentert langs de uitstallingen met kleding, sieraden, make-up, zonder een moment stil te staan of er daadwerkelijk interesse in te tonen. Ze kijkt naar de personen om haar heen zonder ze te zien. Vandaag dompelt de herfstzon de stad onder in een goudkleurig schijnsel. De terrassen zitten vol mensen die het zomergevoel nog even vast lijken te willen houden. Zij weet beter. De zomer is voorbij, de zomer waarin ze zoveel goede voornemens had, waarin ze dacht dat ze weer iets van vroeger terug kon krijgen.

Het paniekerige telefoontje van Albert, toen Coby bij zijn zus en zwager was weggelopen, had haar doordrongen van haar diep weggestopte heimwee. Halsoverkop was ze destijds uit dat afschuwelijke dorp weggegaan. Toen had het vanzelfsprekend geleken dat ze Coby niet meenam. Richard was in haar leven gekomen. Juist in die tijd was het goed dat Coby niet bij haar was.

Dat bewuste telefoontje had haar naar herinneringen gevoerd die ze heel lang niet had toegelaten.

Haar blijdschap toen ze haar dochter voor het eerst in haar armen hield, de onzekerheid die ook meteen haar opwachting maakte. Het opgroeien van Coby. Samen naar het strand, naar de dierentuin, naar het park. Coby in de mooiste jurkjes, ingevlochten haar met de wereld aan knipjes. Haar kind, haar trots.

Nu nog weet ze zeker dat de verhuizing naar dat verfoeide dorp het einde inluidde.

Ze botst tegen iemand op, er klinkt een verwijtende verwensing. Gerda verontschuldigt zich.

In dat dorp werd Coby gepest. Ze weigerde ineens de fraaie knipjes en opvallende jurken, omdat ze net zoals haar klasgenoten wilde zijn. Gerda voelde zich afgewezen.

Toch waren er ook nog gouden momenten geweest: de verkleedpartijen thuis als Astrid met haar meekwam. Samen theedrinken uit school.

Met Alberts telefoontje was Coby terug in haar leven. Het voelde alsof er op dat moment weer wat in te halen viel van wat ze al die jaren had gemist. Alsof ze zo haar knagende, niet-aflatende schuldgevoel het zwijgen op kon leggen. Samen met Richard leidde ze een zorgeloos leven. Richard kon weliswaar vrij dominant overkomen, maar in wezen droeg hij haar op handen. Hij verwende haar en ze hield ervan verwend te worden.

Het was haar tegengevallen dat Coby niet reageerde op de sms'jes die ze stuurde, terwijl ze eerder altijd haar berichten beantwoordde. Ze vond het vervelend dat Coby in die tijd altijd eindigde met de dringende vraag of ze niet naar Amsterdam mocht komen. Nog nooit had ze antwoord op die vraag gegeven. Nu kreeg ze geen antwoord van Coby.

Ze voelde zich opnieuw afgewezen. Ineens werd het belangrijk om haar dochter weer te zien, om een band op te bouwen, om samen met haar door Amsterdam te lopen. Richard had gelijk toen hij haar op een gegeven moment verweet dat ze over niets anders meer praatte dan over Coby. Ze was er helemaal vol van.

En toch wist ze dat het een droom zou blijven. Richard was altijd duidelijk geweest. Ze wist dat ze nooit een goede moeder zou kunnen zijn.

Waarschijnlijk had Albert dat ook geweten. Toch was hij vanmorgen woedend tegen haar uitgevallen.

Ineens moet ze blijven staan, ze leunt tegen een muur van een etablissement en probeert haar jagende ademhaling weer onder controle te krijgen. Vlak naast haar staat een menselijk standbeeld, een Romeinse gladiator in goud, met een geldbakje aan zijn voeten. Rondom hem heeft zich publiek verzameld. Een oudere dame gaat met hem op de foto, geld rinkelt in het koperkleurige bakje.

'Je bent niets veranderd!' Zijn stem vol teleurstelling had haar kippenvel bezorgd. Haar verdediging dat Richard absoluut niet wilde dat Coby bij hen kwam wonen, was te zwak.

'Wij hadden samen geen kind moeten krijgen. Je bent niet in de wieg gelegd voor moeder. Jij kunt niet aan anderen denken. In jouw leven is maar ruimte voor één mens en dat ben je zelf. Ik heb nog nooit zo'n egocentrische vrouw gezien. Mede door jou is Jacoba geworden wie ze is. Mede door jou...' Zijn stem raasde door, weigerde naar haar verweer te luisteren.

Ze had hem uiteindelijk het zwijgen opgelegd door op het rode knopje te drukken. Maar de inhoud van zijn teleurgestelde woorden weigerde dat te laten doen. Albert had gelijk. Ze was er de vrouw niet naar om zichzelf weg te cijferen voor haar kind. Misschien had ze inderdaad beter geen moeder kunnen worden, maar er viel niets meer terug te draaien. Ze was lang geleden moeder geworden. Ze was het nooit geweest.

Met warme handen streelt de zon haar gezicht. Haar ademhaling heeft zich genormaliseerd. De Romeinse gladiator draait zich om en staart haar aan. Zijn publiek is doorgelopen. Hij knippert met z'n ogen. Ze steekt haar hand op en loopt terug de winkelstraat in.

Ze kon niet anders, houdt ze zichzelf voor. De sms'jes van Coby hadden de afgelopen dagen maar aangehouden, steeds dringender. Ze mocht geen valse verwachtingen wekken. Dit leven is haar leven. Voor Coby is geen ruimte. Er zal nooit ruimte voor haar zijn zolang ze bij Richard blijft. 'Je kunt niet komen,' had ze het laatste berichtje van Coby gisteravond beantwoord. 'Er kan absoluut geen sprake van zijn.'

Daarna bleef het stil.

Zo is het goed. Ze hoort bij Richard, ze hoort bij dit leven. Coby past daar niet in. Ze zal er nooit deel van uitmaken.

De trein spuugt reizigers uit die met haastige passen over het perron in de richting van hun bestemming lopen. Coby staat er besluiteloos tussen. Uit haar zak haalt ze haar vervoersbewijs, waarop enkele reis Amsterdam Centraal staat aangegeven. Ze werpt het achteloos in een prullenbak, hijst haar tas op haar rug en kiest de richting van de uitgang van het station.

Even moet ze wennen aan de drukte, aan de trams die piepend tot stilstand komen, aan de taxi's die voorbijrazen, aan al die mensen. Dan dringt het ineens tot haar door dat zij hier staat, dat ze nooit meer in het spanningsveld tussen Yannick en Lia hoeft te zitten, dat ze een eind van het dorp van haar vader verwijderd is. Dit is de stad van haar moeder, die haar gisteravond per sms berichtte dat ze niet kon komen.

Nu staat ze in Amsterdam, vastbesloten om toch op zoek te gaan. Ze wil niet bij haar moeder wonen. Ze wil praten, weten, en misschien een heel klein beetje begrijpen.

In een klein, onopvallend vakje van haar tas, zitten de euro's die ze de afgelopen tijd aan Yannick heeft weten te ontfutselen. De eerste tijd zal ze zich daarmee kunnen redden. Wat daarna komt, ziet ze dan wel weer.

Zou Lia al aan haar geliefde Yannick hebben laten weten hoe zij hem heeft beduveld? Coby kan een geringschattende glimlach niet onderdrukken. Die jongen wist niet hoeveel geluk hij in het leven had. Familieleden die hem liefhebben, die rekening houden met zijn gevoelens. Een vrouw met wie hij een gezin gaat stichten. Waarom denken mensen toch altijd dat het niet genoeg is? Hoe halen ze het in hun hoofd dat ze meer verdienen?

Yannick verdient het dat ze hem heeft bedrogen.

Ze sjort nog eens aan haar rugtas voordat ze de richting van het centrum kiest en zich mee laat voeren met de mensenmassa. De zon koestert haar gezicht, verwarmt haar. Het lijkt haar een goed voorteken. Ze heeft nauwelijks het gevoel dat ze zelf een richting kan kiezen, zo wordt ze bijna door de menigte meegedragen. Over de hoofden heen ziet ze in de verte een uithangbord met 'Café de Stille Jan'. Als ze in de mensenstroom langzaamaan naar de rechterkant kan komen, komt ze absoluut op tijd bij dat bord uit. Haar berekening klopt. Ze draait zichzelf door de deur naar binnen en heeft het gevoel dat ze in een andere wereld terecht is gekomen. Buiten lopen duizenden mensen, binnen zitten er niet meer dan vijf. Drie mannen zitten elk alleen aan een tafeltje en staren onafhankelijk van elkaar in een glas bier, en in een hoek kijken een jongen en een meisje van een jaar of twintig niet naar een pilsje maar naar elkaar.

Coby kiest een tafeltje in de andere hoek, zet haar tas op een lege stoel en bestelt een biertje. Terwijl ze haar eerste slok naar binnen laat lopen, moet ze onwillekeurig denken aan de eerste keer dat ze op een heel andere plek in een heel ander café in een heel andere stad Yannick ontmoette. Ze glimlacht. Nooit eerder had ze in haar leven iemand ontmoet die zo goedgelovig was. Als ze gewild had, had ze hem helemaal kaal kunnen plukken. Ze kon hem werkelijk van alles wijsmaken. Zelfs de verhalen over haar ouders slikte hij voor zoete koek. Eerst dat verhaal over zijn drankmisbruik en mishandelingen, daarna zelfs dat verhaal dat ze door haar vader misbruikt was. En dat ze trouw naar school ging, en haar permanente geldgebrek, dat ze haar best deed om een baantje te vinden, dat ze... Alles en alles geloofde hij. Als je het maar met overtuiging speelde, dan geloofde hij alles, zelfs dat de aarde ineens vierkant was geworden.

Ze grinnikt in zichzelf, ziet vanuit haar ooghoeken een man van een jaar of dertig binnenkomen. Onwennig staat hij even aan de bar, bestelt een biertje en gaat aan een tafeltje vlak naast dat van Coby zitten. Hij voelt zich zichtbaar slecht op z'n gemak. Onophoudelijk spelen zijn vingers met het glas voor hem, alsof het zijn enige houvast in dit café en misschien wel in zijn leven is. Af en toe neemt hij een slok, veegt met een verstolen gebaar het schuim uit zijn mondhoeken. Op de een of andere manier voelt hij blijkbaar dat Coby hem aankijkt.

Ze ontdekt dat hij grote blauwe ogen heeft die haar eerst wat beschroomd aankijken, maar al snel opfleuren.

'Is die stoel naast u vrij?' vraagt hij.

Hij lijkt wel wat op Yannick, vindt Coby. Ook zo'n sneue kneus. Dat geeft haar een heel rustig gevoel.

Yannick leest voor de derde keer de woorden die Lia heeft geschreven en voor hem heeft achtergelaten.

'Coby is weg.' Zo luidt de aanhef. Vervolgens deelt Lia hem op zakelijke toon mee wat er 's morgens heeft plaatsgevonden. Nergens lijkt ze hem ook maar iets te verwijten, maar toch leest hij ze tussen de zinnen door.

'Jij stortte schoolgeld. Zij nam het op voor andere doeleinden.'

In gedachten ziet hij voor zich hoe ze hier vanmorgen tegenover elkaar hebben gestaan. Voor het eerst had Coby waarschijnlijk geen weerwoord.

'Ze had gezien waar jij je inlogcode en wachtwoorden bewaarde.'

Lia had hem er altijd voor gewaarschuwd. Ze vond het gevaarlijk om al die dingen bij elkaar te bewaren. Hij meende dat het wel zou loslopen.

'Binnenkort moeten we praten. Ik hoop dat je het me niet kwalijk neemt dat ik even tijd nodig heb om alles te verwerken. Daarom wil ik nog een paar dagen bij mijn ouders blijven. Ik neem wel contact met je op.'

En dan?

Hij kijkt door Lia's ogen en ziet glashelder hoe hij heeft gefaald, hoe naïef en stupide hij heeft gehandeld. Blind en doof voor haar waarschuwingen.

Hij had haar beticht van jaloezie, van egoïsme, maar ze had alleen heel helder de waarheid gezien. Nu zou hij de film terug willen draaien. Alles zou hij over willen doen, maar er valt niets terug te draaien.

Sterker nog, hij kan niet anders doen dan afwachten. Lia heeft het volste recht om tijd te vragen. Ze heeft zelfs het recht om te zeggen dat ze niet meer met hem verder wil. Hij heeft haar in de kou laten staan toen ze een miskraam kreeg. Het is hem niet opgevallen dat ze weer zwanger was, en zij heeft het hem dit keer niet verteld.

Terecht. Ze staat volkomen in haar recht.

Het huis is stil. Hij drinkt koffie. Zin in eten heeft hij niet. Integendeel, hij wordt al onpasselijk als hij aan eten denkt. De koffie begint hem zwaar op de maag te liggen. Er staat nog een nieuwe fles wijn op het aanrecht. Een Rioja, die Coby zo lekker vond. Sinds Coby er was, dronk hij met regelmaat een glas wijn, maar nooit te veel. Lia hoefde de laatste tijd niet. Hij had daar niet bij nagedacht. Hij had eigenlijk helemaal niet veel aan Lia gedacht.

Even aarzelt hij, dan pakt hij een limonadeglas uit het keukenkastje en schenkt dat halfvol. Een vaag schuldgevoel vervult hem als hij de eerste slok neemt, maar hij stelt zichzelf gerust. Waarom zou hij overdag niet eens een glaasje wijn drinken? Het was maar eenmalig. Hij had het nog nooit gedaan, hij zou het nooit meer doen en hij doet er niemand kwaad mee. Na een paar slokken voelt Yannick zich al wat meer ontspannen worden. Om de stilte te doorbreken zet hij de televisie aan. Een knappe vrouw laat zien hoe je zonder enige moeite met behulp van een apparaat slank kunt worden. Zonder interesse volgt hij haar verrichtingen. Het is prettig om naar haar stem te luisteren, net alsof hij nu niet langer alleen is.

Zijn glas is leeg. Hij schenkt het nog eens vol en zet de fles naast zich neer. De vrouw op de televisie begint hem te vervelen, hij zapt verder naar een kinderprogramma, ziet bekende figuren door het beeld lopen. Ze figureerden ooit in een boek dat zijn moeder hem voorlas voor hij ging slapen. Hij sluit zijn ogen en ziet voor zich hoe ze dan op de rand van het bed zat. Dat waren goede momenten. Later was het bergafwaarts gegaan. Zou ze zich net zo beroerd hebben gevoeld als hij op dit moment? Ze zat in ieder geval niet alleen thuis zoals hij. Eigenlijk had zij geen enkele reden gehad om afhankelijk van de alcohol te worden. Zijn vader had haar op handen gedragen, ze had twee gezonde kinderen. Waarom had ze dat toch allemaal op het spel gezet? Hij had tenminste reden om te gaan drinken, maar hij waakte ervoor alcoholist te worden. Hij was niet van plan om zo diep te zinken. Alleen duurt de dag zo oeverloos lang. Het idee dat er misschien nog heel veel van zulke dagen zullen volgen, knijpt hem de keel dicht. Hij weet niet anders te doen dan zijn glas in één keer leeg te drinken. Niet nadenken nu. Morgen gaat het beter. Morgen doet hij dit niet. Hij heeft zichzelf in de hand. Hij wel.

Waarom zou hij het nog langer uitstellen?

Sierd klapt het portier van zijn auto dicht. 'Ik denk dat jouw zoon zijn vader heel hard nodig heeft,' had Letty gezegd. Hij weet dat ze hem ernaar zal vragen als ze elkaar weer treffen. Het verontrustende telefoontje van Lia van de avond ervoor deed de rest. Onvoorstelbaar dat ze werkelijk weg was. Het is niet te bevatten dat Yannick het zover heeft laten komen. Hij heeft in ieder geval iemand nodig die hem eens vertelt waar het op staat.

Een kwartier later manoeuvreert hij zijn auto door de smalle straten van Zwartburg in de richting van de Beethovenstraat. Hij belt aan en wacht.

Er komt niemand. Toch is hij ervan overtuigd dat Yannick er is. Hij belt nog eens, hij bonst op de ramen.

Nu klinken er aarzelende voetstappen in de gang. De deur wordt op een kier geopend. Sierd ontdekt afweer op het gezicht van zijn zoon.

'Wat wil je?' Het klinkt ook niet bepaald uitnodigend. Sierd duwt de deur verder open en stapt de smalle gang binnen. 'Praten,' zegt hij kortaf, terwijl hij doorloopt naar de kamer. In een oogopslag overziet hij de situatie. De bijna lege fles wijn die Yannick onder de tafel heeft trachten weg te moffelen, de kring van een glas dat duidelijk even daarvoor nog op tafel stond, de gigantische troep.

'Ben jij nou helemaal belazerd?' Woedend is hij. Hij is zo vreselijk kwaad, zo teleurgesteld. In zijn hele leven heeft hij nog niet zo veel woede gevoeld. Met grote, hete golven spoelt het over hem heen en hij kan niet anders dan het uitschreeuwen, terwijl Yannick steeds kleiner lijkt te worden, steeds minder wilskracht toont, de houding toont van de vrouw die hij jarenlang heeft liefgehad maar niet kon bereiken. Zijn woede en onmacht van jaren zoeken zich een weg naar buiten. 'Wat denk je dat je aan het doen bent? Jij, Yannick Bergsma die het allemaal beter meende te weten? Waar blijf je nou? Je hebt alles wat je hartje begeert en je laat het uit je handen glippen! Je denkt dat jij alles zo goed weet, en als je ongelijk bewezen wordt, kom je om in zelfmedelijden!'

Yannick doet een aarzelende poging om tegen te sputteren. 'Hou je mond! Probeer je verantwoordelijkheid niet te ontlopen!' De aderen op zijn voorhoofd zwellen vervaarlijk op. Hij slaat met zijn vuist op tafel. 'Juist jij was zo arrogant om te geloven dat je het beter zou doen dan je moeder. Je weigerde haar kansen te geven. Zelfs toen ze doodziek was, kon je haar niet vergeven.'

'Ik heb haar vergeven,' protesteert hij zwakjes.

'O ja, uit de grond van je hart?'

'Ik heb het geprobeerd.'

'Je hebt het helemaal niet geprobeerd. Je stond klaar met je mening en je weigerde die bij te stellen. Ik kan het je niet eens kwalijk nemen. Je moeder nam het je niet eens kwalijk.' Sierd is uitgeraasd. Hij laat zich op de bank zakken, ziet hoe Yannick op een stoel gaat zitten en hem afwachtend blijft aankijken. 'Je moeder heeft die ideeën ook eens gehad. Ze wilde het beter doen dan haar vader, maar het lukte haar niet. Het lijkt op een vloek die van generatie op generatie wordt doorgegeven. Ik moet haar nageven dat ze wel gevochten heeft, maar ze heeft steeds het onderspit gedolven. Juist haar gevecht heeft me met respect vervuld. Dat respect kan ik voor jou niet opbrengen. Je hoeft je niets te verbeelden, je gedraagt je als een kind. Begin eindelijk eens te vechten.'

Hij staat weer op. 'Ik zal koffiezetten. Jij gaat ondertussen onder de douche en frisse kleding aantrekken.' Hij grijpt de verscholen fles. 'Dit is voorbij, dit wens ik hier nooit meer te zien. Nóóit meer. Ik beloof je dat ik Lia hier niet van op de hoogte zal stellen, maar zodra ik merk dat je niet gestopt bent, zal ik haar adviseren je zo snel mogelijk te verlaten. Een vrouw als Lia verdient dit niet.'

Zonder antwoord af te wachten, verdwijnt hij naar de keuken waar hij de fles leeggooit in de gootsteen. Hij sluit even zijn ogen als hij Yannick naar boven hoort gaan. Het is een déjà vu, het woelt pijnlijke herinneringen in hem op. 'Je hebt veel van haar gehouden,' zegt een zachte stem in zijn oor. Een stem die als balsem voor zijn ziel is. Het lijkt alsof Letty ineens naast hem staat, hij ruikt de geur van haar lichte bloemige parfum. Zij is zijn toekomst. Het verleden mag hij achter zich laten. Hij kan het, samen met haar. Ineens kan hij een glimlach niet onderdrukken. Misschien moet hij haar dat binnenkort toch echt vertellen.

Een kwartier later staat Yannick weer beneden. Zwijgend kijkt hij toe hoe zijn vader koffie inschenkt. Schaamte welt in hem op, alsof hij door de ogen van een ander naar zichzelf kijkt. 'Laatst ben ik bij het graf van mama geweest,' bekent hij plompverloren als ze allebei op de bank zitten.

'Wat zocht je daar?' Zijn vader lijkt niet verrast.

Hij haalt zijn schouders op.

'Heb je daar iets ontdekt?' houdt Sierd aan.

'Ik had haar nog zoveel willen zeggen.' Zijn handen trillen als hij de kop koffie pakt om zich een houding te geven. 'Het is gek om me dat juist daar, bij haar graf, te realiseren. Ik heb na de begrafenis gezegd dat ik blij was met haar dood. Dat is niet waar.'

'Ik wist het toch,' zegt Sierd. 'Je was verward, verdrietig, opstandig. Ik begreep het wel.'

'Ik was woedend op haar. Die woede heb ik proberen vast

te houden, realiseerde ik me net onder de douche. Ik kon niet anders, en Coby kwam als een geschenk uit de hemel. Ik kon mijn aandacht op haar richten...' De koffie trilt bijna over het kopje. Sierd zet het zijne op tafel en plaatst het kopje van Yannick ernaast.

'Ik voelde me schuldig. Ik dacht aan al die dingen die ik nog had willen zeggen. Zelfs toen het me duidelijk werd dat ze niet lang meer te leven had, wilde ik mijn echte gevoel niet toelaten. Het was zelfs prettig om al die negatieve dingen over haar te zeggen.'

'Schuldgevoel heeft geen zin meer,' meent Sierd. 'Je moeder heeft je veel beter begrepen dan je ooit hebt gedacht. Eens zat ze in hetzelfde schuitje. In haar jeugd heeft ze zich zo vaak voorgenomen dat ze het anders zou doen dan haar vader. Zij wilde iets van haar leven maken.'

'Ik had dat moeten begrijpen.'

'Waarom? Je was een kind. *Ik* had dat moeten begrijpen. Ik was een volwassene, en ook ik heb haar jarenlang rond laten zwemmen. Tijdens haar ziekteperiode, toen ze bij mij verbleef, hebben we daar veel over gepraat. Dat is goed en helend geweest. Door al haar problemen vergaten we vaak dat ze een intelligente vrouw was, die best doorhad hoe het leven in elkaar stak. Ze begreep jou, Yannick. Ze had het er moeilijk mee, maar ze begreep het. Op haar sterfbed wist ze dat je haar niet met een oprecht hart vergaf, maar ze wist ook dat dit het begin van meer was.'

'Ik kan het haar nooit meer vertellen. Er valt niets meer over te doen.'

Sierd ziet de kleine jongen die Yannick ooit was. Hij slaat troostend zijn armen om hem heen. De eerlijkheid van zijn zoon emotioneert hem. Nog nooit eerder hebben ze op zo'n open manier met elkaar gesproken. Na lange tijd zonder contact is dit vertrouwen waardevol en bijzonder.

'Je moeder begreep het,' herhaalt hij. 'Ze heeft er geen last meer van en ze zou niet willen dat jij ermee bleef rondlopen.' Hij schuift een eindje bij Yannick vandaan, maar laat zijn handen op de schouders van zijn zoon rusten. 'Zij is verlost van haar pijn en afhankelijkheid. Jij leeft nog en je moet verder. Blijf niet hangen in destructief schuldgevoel. Ruim puin en begin opnieuw. Zorg ervoor dat we op het huwelijkfeest van Felia en Simon weer een familie vormen. We willen er allemaal voor je zijn, maar jij moet zelf je verantwoordelijkheid nemen. Ook ten opzichte van Lia. Als je met haar verder wilt, zul je daar zelf voor moeten gaan.' Hij glimlacht. 'En dat blijft je hele leven zo, kan ik je vertellen.'

In een paar slokken leegt hij zijn kopje en staat op. 'Je kunt op mijn steun rekenen, maar je moet zelf vechten.'

Wanneer de auto van zijn vader de straat uit is gereden, valt het Yannick pas op dat die geen waarschuwend woord meer heeft vuilgemaakt aan zijn drinkgedrag. Alsof hij zonder woorden wilde aangeven dat hij niet bang voor herhaling is.

Een motie van vertrouwen.